AFGESCHREVEN

Toetsterreur, turntroubles en twittertweets

GONNEKE HUIZING

Toetsterreur, turntroubles en twittertweets

Tekeningen van Saskia Halfmouw

Uitgeverij Holland- Haarlem

Dit boek kan gekozen worden door de Jonge Jury 2014

Dit ben ik

Naam:

Fleur van Vlaardingen (ik weet het, he-le-maal belachelijk 3 x een f-klank aan het begin; vonden mijn ouders dus leuk)

Jarig op:

26 augustus

Mijn hobby's zijn:

lol maken met mijn vriendinnen, shoppen en schrijven (mijn dagboeken over groep 8 en de brugklas zijn uitgegeven onder de titels *Cito-stress, turntoestellen en afscheidsfeest* en *Brugpiepers, turntoppers en beugelbekkies*. Ze zijn in alle boekwinkels te koop óf te bestellen)

Mijn sport is:

turnen (selectie)

Ik eet het liefst:

lasagne en pizza

Mooiste kleur vind ik:

lila en paars

Mijn lievelingsdier is:

mijn allerliefste Charlie, die nu echt geen schattige puppy meer is, maar nog wel een héééél lief hondje

Leukste schoolvakken zijn:

nederlands en wiskunde (!)

Ergste vak is: science (haat ik omdat je er zóóó-
veel voor moet leren)

Mijn beste vriendinnen zijn: Mirte van de basisschool, Britt van
turnen, Myrthe, Tirza, en Anne
Lynn uit mijn nieuwe klas

Ik ben verliefd op: Jens???

Ik heb een bloedhekel aan: pesten, kamer opruimen
en nog een keer: science!

Wat ik wens: dat ik komend turnjaar weer bij de
eerste drie kom op het NK

Zaterdag 24 juli

Vandaag vertrek ik met Mirte, haar ouders, haar broer Frank en weer een vriend van Frank, Kessel, naar Turkije. Mirtes ouders hebben daar een villa met zwembad gehuurd op een vakantiepark met wel vijf sterren. Niet alleen hebben we een eigen privézwembad, op het park zijn ook nog eens drie grote zwembaden en verschillende glijbanen. Mirte kwam het me vlak voor de vakantie vertellen en we waren zo blij. Helemaal hoteldebotelblij.

Het kwam goed uit, die uitnodiging van Mirte, want papa en mama hadden net besloten dat we deze zomer niet op vakantie zouden gaan. Ze hadden iets vaags gezegd over ander werk misschien voor mama, beetje sparen en dat vakantie dit jaar daarom niet zo goed uitkwam.

En toen vroeg Mirte dus of ik met haar meeging naar Turkije. Vorig jaar was ze met ons mee naar Corsica. Dat was echt een waanzinnig leuke vakantie. Ik was natuurlijk helemaal opgetogen, maar ergens in een klein hoekje knaagde ook de teleurstelling dat mijn vakantie met papa en mama niet doorging. Ik had me verheugd op vier weken samen met mijn ouders. Door het jaar heen zie ik hen alleen maar in de weekenden omdat ik zoveel turn.

Ik vond het ook wel spannend om twee weken met Mirte mee te gaan. Ik heb namelijk heel snel heimwee. Best wel kinderachtig vind ik zelf, maar ik zit er maar mooi mee. Bij Jos en Marieke, de gastouders bij wie ik vorig turnseizoen een tijd heb gewoond om extra veel te kunnen turnen, had ik er zoveel last van dat het turnen daardoor minder ging. Hans, mijn trainer, was voortdurend ontevreden en daardoor presteerde ik nog minder. Maar gelukkig huurde oma toen een appartement in die stad waar ik turnde, zodat ik bij oma kon wonen. Daarna

Mirte

ging het weer veel beter met mij.

In elk geval, ik ga dus naar Turkije. Mirte had me meteen al verteld dat ze Kessel he-le-maal te gek vond.

'Zo'n ongelooflijk lekkere dude,' had ze gezegd. 'Als jij nou met Frank…'

'Met Frank?!' had ik een beetje ontzet uitgeroepen.

'Ja, wat is er mis met Frank?' had Mirte een beetje kattig ge-vraagd.

'Nee, niks, maar ik, ik weet niet…'

Om eerlijk te zijn had ik nog nooit op die manier naar Frank gekeken. Ik ken hem al bijna mijn hele leven. Nou ja, zo lang als Mirte en ik vriendinnen zijn en dat is vanaf groep 1.

Ik had mijn schouders een beetje opgehaald.

'Nou, Frank vindt jou anders wel leuk,' had Mirte gezegd.

'Ik vind hem ook wel aardig en zo…'

'Nou dan!' Mirte had haar arm om mijn schouders geslagen. 'Het wordt een super-vakantie, zeker weten.'

Zondag 1 augustus 02.15 uur

Ik ben helemaal in de war. Echt helemaal. En ik wil naar huis, maar dat kan niet want ik zit dus in Turkije en bovendien is het ook nog eens midden in de nacht, maar ik weet zeker dat ik geen oog meer dichtdoe.

En Mirte… die ligt gewoon te pitten. Ik snap echt niet dat ze slapen kan, na alles wat er gebeurd is. Misschien slaapt ze ook niet, maar ze ligt met haar hoofd onder de dekens en haar ademhaling klinkt wel alsof ze slaapt.

Toen we eenmaal in Turkije waren, was er absoluut geen sprake van een supervakantie en dat kwam door de disco, waar wij niet naar toe mogen van Mirtes ouders. Frank en Kessel wel, maar ja, die jongens zijn ook al zestien, maar wij mogen dus niet. En dat maakt dat er steeds veel spanning is. Balen.

Er was meteen de eerste avond al een knetterende ruzie tussen Mirte en haar ouders. Ik voelde me zwaar opgelaten. Ik kon toch moeilijk met Mirte mee gaan schreeuwen en op die manier partij voor haar kiezen? Ik ken Mirtes ouders natuurlijk wel, maar om nu direct ruzie met hen te maken... Mirte probeerde steeds mij erbij te betrekken en ik voelde me echt een beetje een verraadstertje dat ik haar in de steek liet.

Mirte was ontzettend boos. Ze gilde dat ze het zó waanzinnig oneerlijk vond. Dat Frank maar twee jaar ouder was dan zij.

'Tweeënhalf,' verbeterde haar vader haar, 'bijna drie zelfs en bovendien...'

Maar Mirte liet hem helemaal niet uitspreken. Die ratelde maar door dat haar ouders ouderwets waren en dat zij he-le-maal nooit iets mocht. Echt he-le-maal nooit!

Om eerlijk te zijn, was ik stomverbaasd. Het was nieuw voor me dat Mirte zo graag uit wilde. Vorig jaar op Corsica hadden we dat ook niet gedaan en volgens mij gaat Mirte thuis ook niet uit. Het komt natuurlijk omdat ze stapelgek op Kessel is. Ze heeft het echt alleen maar over hem. Af en toe wel behoorlijk boring, eigenlijk.

In elk geval, Mirte kon hoog of laag springen, maar ze kreeg haar zin niet. Ze was woedend en ze bleef woedend. Dat verziekte dus de sfeer behoorlijk. Als we aan het zwembad lagen, had ze het óf over Kessel óf over haar suffe ouders.

Zo gingen er vijf dagen voorbij. Mirte en ik lagen elke dag te bakken in de zon en heel soms bakten Frank en Kessel mee. Die

twee zijn echt superaardig en behoorlijk actief. Ze hebben al een duikcursus gedaan en gaan heel vaak surfen. Toen Mirte hoorde dat de jongens een duikcursus gingen doen, wilde zij natuurlijk ook, maar toen ze ontdekte dat iedereen naar leeftijd ingedeeld werd, wilde ze opeens niet meer. Ze bekommerde zich geen moment om wat ik vond en wilde.

Eerst had ze bedacht dat wij zouden doen alsof we ook al zestien waren, maar Frank zei dat we bij de inschrijving een paspoort of ID moesten laten zien.

Ik vond het wel jammer want ik houd wel van een beetje actie. Natuurlijk vind ik zonnen ook lekker, maar ik ben zo gewend om veel te bewegen, dat ik het soms wel moeilijk vond om uren stilletjes aan de rand van het zwembad te liggen. Daarom ging ik maar veel zwemmen. Ik ontmoette bij het zwemmen een meisje, Tess, dat een jaar jonger was dan ik en dat na de zomer naar de brugklas ging. Ze wilde natuurlijk van alles weten over het leven op de middelbare school en ik vond het leuk om haar daarover te vertellen.

Mirte niet, die deed alsof ze sliep als Tess bij ons kwam liggen. Die wilde geen woord over school horen, laat staan er iets over vertellen. Mirtes ouders maakten veel uitstapjes en ze vroegen elke morgen of wij meewilden.

'Duh, dacht het niet,' zei Mirte elke keer.

'Jij dan Fleur?' vroeg Mirtes moeder.

Ik stotterde dan dat ik het leuker vond om aan het zwembad te liggen, maar eigenlijk had ik ook best een paar uitstapjes willen maken.

'Pfff, we gaan dood als we met die saaie sukkels op stap moeten,' zei Mirte later tegen mij. 'Toch?' Maar een antwoord verwachtte ze niet, want ze ratelde alweer over Kessel en hoe bruin die al was en hoe stoer en hoe goed die nieuwe zonnebril hem stond.

Mirte negeerde verder haar ouders zoveel mogelijk. Echt wel lullig, want die deden hun best
om zo gewoon mogelijk te doen.
Elke avond aten we samen in het restaurant en dan vertelden
ze wat ze die dag hadden gedaan en vroegen of wij nog wat
hadden beleefd. Of ze wilden allerlei dingen over mijn turnen
weten. Ik vind hen echt aardig, maar als ik iets zei, dan voelde
ik gewoon dat Mirte daar boos van werd. Zó ongemakkelijk
en zó waardeloos!
'Joh, dan klim je toch gewoon uit het raam,' bedacht Kessel op
een avond, toen we met z'n vieren aan het poolen waren en
Mirte weer klaagde over het uitgaansverbod.
'Als jij je kop dan maar houdt,' zei Mirte tegen Frank.
'Alsof ik jou ooit verlinkt heb,' zei Frank een beetje beledigd.
We spraken af dat we op zaterdagavond met z'n vieren naar
de disco zouden gaan. Het plan was dat we gewoon om half
elf naar bed zouden gaan en dan zouden wachten totdat Mirtes
ouders sliepen. Die gingen meestal om een uur of elf naar bed.
Dus rond half twaalf zou de kust wel veilig zijn.

Gisteren, de dag dus dat we naar de disco zouden gaan, was
Mirte vanaf het opstaan superopgewonden. Ze kletste aan een
stuk door over hoe cool het was om uit te gaan. Ze was zo op-
gefokt dat ze niet rustig kon liggen zonnen en zelfs met me
ging zwemmen.
En onder het eten deed ze zowaar een beetje aardiger tegen
haar ouders. Die snapten er natuurlijk niks van, maar deden
alsof het de normaalste zaak van de wereld was. 's Avonds
waren we bijna een uur bezig om ons mooi op te tutten.
Mirte en ik hadden voor we weggingen samen nog geshopt en
we hadden allebei een heel kort, strak en bloot jurkje gekocht.
Mirte een witte en ik een poeder-roze. Die deden we natuurlijk

aan. Daarna gingen we ons opmaken.

'Wil jij smokey eyes?' vroeg Mirte.

'Kun je dat?' vroeg ik verbaasd.

Ze knikte. 'Op internet gekeken.'

'Goed.' Ik ging zitten en Mirte ging aan het werk met foundation, mascara, kohlpotlood en oogschaduw.

Toen ik na een kwartier in de spiegel keek, was het resultaat echt verbluffend. Ik kende mezelf bijna niet terug. 'Ik lijk wel zestien,' giechelde ik.

Mirte begon met haar eigen ogen en ik zag hoe snel en handig ze de make-up aanbracht. 'Je moet visagiste worden,' zei ik.

'Misschien.' Mirte lachte. 'Dan word ik de visagiste van een beroemde ster of zo.'

'Wie dan?'

'Misschien wel van Justin Bieber.'

'Maar dat is een jongen. Die hebben toch geen make-up?'

'Tuurlijk wel. Niet altijd natuurlijk, maar wel als ze optreden,' wist Mirte. 'Nou, hoe zie ik eruit?' Ze hield haar hoofd scheef.

'Prachtig. Kessel wordt op slag verliefd op je.'

'Dacht ik ook.' Ze trok het strapless witte jurkje aan, dat fantastisch stond bij haar bruinverbrande huid. Uit haar koffer haalde ze een paar schoenen met ongelooflijk hoge hakken.

'Mag jij zulke hakken van je moeder?' vroeg ik verbaasd.

'Duh, dat vraag ik haar echt niet, hoor,' snibde Mirte.

'Je hoeft niet meteen zo kattig te doen,' zei ik.

'Nee, sorry.' Mirte keek berouwvol. 'Het komt omdat ik zo zenuwachtig ben. Vanavond ga ik Kessel versieren, zeker weten. En als jij nu met Frank...'

Ik zuchtte. Mirte wilde steeds dat ik op Frank zou zijn, maar dat was ik gewoon niet. Ik was op niemand. Frank deed wel heel aardig tegen mij, maar dat deed Kessel ook.

Eigenlijk voelde ik me af en toe nogal vervreemd van Mirte. Net alsof we niet meer best friends forever waren. We kletsten nog wel veel samen en we hadden ook lol, maar het was anders. Vroeger waren we het altijd met elkaar eens geweest, maar nu niet meer en dat was vervelend. Vroeger vertelden we elkaar alles. Dan zou Mirte mij allang haar nieuwe schoenen hebben laten zien, bijvoorbeeld.

Ik trok een beetje lusteloos mijn sandalen aan. Die hadden een klein hakje dat in het niet viel bij de hakken van Mirte. Ik vond ze opeens zó kinderachtig.

Om half twaalf keken we uit het raam en zagen Frank en Kessel staan. We deden het raam open en wuifden even.

'Ga jij eerst?' vroeg Mirte.

Ik ging op de vensterbank zitten en slingerde me naar het balkon van de slaapkamer van Mirtes ouders. Ja, want de trap kraakte als een gek, dus dat was geen optie en het was te hoog om vanuit ons raam op de grond te springen. Ik had het misschien nog wel gedurfd, maar Mirte durfde het in geen geval. Terug zouden we wel via de trap moeten, maar gek genoeg kraakte de trap minder als we naar boven gingen en de jongens deden dat natuurlijk ook altijd, dus dan zouden Mirtes ouders vast niet in de gaten hebben dat er in plaats van twee paar vier paar voeten naar boven kwamen.

Mirte kwam meteen achter mij aan en verloor bijna haar evenwicht toen ze op het balkon landde. Ik kon haar nog net vastpakken en schoot in een zenuwachtige giechel.

'Sssst,' siste Mirte.

We klommen over de balkonrand en lieten ons zakken op de reling van de veranda waar Frank en Kessel ons opvingen.

Ik verstapte me en Kessel sloeg even zijn arm om mijn schouder om me tegen te houden. Ik ving een woedende blik op van Mirte.

'Wat is er?' vroeg ik, toen we met z'n tweeën achter de jongens aanliepen.

'Dat deed je erom,' siste ze me toe.

'Wat?' Ik wist werkelijk niet waar ze het over had.

'Laat maar.'

'Nee, zeg nou.'

'Ach nee, er is niets.'

'Dan niet.'

Zwijgend liepen we achter Kessel en Frank aan. Ik voelde me eenzaam. Als Mirte zo lullig tegen me deed, had ik hier niemand.

Mirtes hand gleed over mijn arm en pakte mijn hand. 'Sorry.'

Ik knikte, maar dat kon ze in het donker natuurlijk niet zien.

'Goed,' zei ik een beetje schor.

'Ik wil drank,' zei Mirte toen we in de disco waren. 'Heel veel drank!' Ze moest hard schreeuwen om zich verstaanbaar te maken, want de muziek was oorverdovend.

'Tuurlijk, schatje.' Kessel knipoogde. 'Jij ook?' vroeg hij aan mij. Ik schudde een beetje verward mijn hoofd. Ik had nog nooit iets van alcohol gehad. 'Ik een cola.'

Kessel ging aan de bar de drankjes bestellen. Frank was meteen na binnenkomst al in de menigte verdwenen.

Mirte bewoog haar ene voet ritmisch heen en weer op de maat van de muziek. Ze straalde. 'Ik ga hem vanavond versieren. Zeker weten. En jij versiert Frank.'

'Die ziet mij helemaal niet staan,' protesteerde ik.

'Tuurlijk wel. Zie je dan niet hoe hij altijd naar je kijkt?'

Om eerlijk te zijn zag ik dat dus echt niet, maar ik zei niets.

Op dat moment verscheen Kessel met onze drankjes.

'Waar is Frank?' vroeg Mirte.

'Aan de bar met een heel leuk grietje.' Kessel hief zijn glas. 'En dat grietje heeft toch een lekkere vriendin bij zich. Die meid ga ik maar eens scoren.' Kessel draaide zich om en verdween in de menigte.

Ik durfde niet naar Mirte te kijken. Toen ik dat uiteindelijk toch deed zag ze er supertreurig uit. Ik legde mijn hand op haar schouder, maar die weerde ze nukkig af. Ze zette het glas aan haar mond en klokte haar drankje in een keer naar binnen.

'Joh, Mirt, kom op,' probeerde ik nog, maar dat had ik beter niet kunnen doen, want toen barstte ze los.

Dat ik een waardeloze vriendin was en dat ik Kessel probeerde in te pikken. Dat ze me heus wel doorhad. Dat ik wel net deed alsof Kessel me niks interesseerde maar dat ik stiekem verliefd op hem was.

'Je bent gek!' riep ik uit. 'Ik ben op niemand verliefd.'

'Val toch hartstikke dood!' Ze draaide zich woedend om en ging ervandoor.

Ik staarde haar verdwaasd na.

'Dat was dikke ruzie, zeg!' Een meisje met lang bruin krullend haar kwam naast me staan.

'Echt wel,' zei ik.

'Waar ging het over?' vroeg het meisje nieuwsgierig.

'Ach, niks belangrijks eigenlijk.'

'Zo klonk het anders wel. O, sorry,' ze sloeg een hand voor haar mond. 'Vergeet ik helemaal te zeggen wie ik ben. Laurie.'

Ze stak haar hand naar me uit.

Laurie

Ik noemde mijn naam en we raakten aan de praat. Ze vertelde dat ze vijftien was en hier elk jaar met haar ouders naartoe ging.

'Ben je hier in je eentje?' vroeg ik een beetje verbaasd.

'Ik ben hier met mijn tweelingbroer Jens. Ze wees

op een jongen met bruine krullen die met een
paar jongens aan de bar hing.

'Die vriendin van jou slooft zich behoorlijk uit!'
Laurie wees naar de dansvloer waar Mirte uitdagend stond te dansen.

Jens

Ze had veel bekijks. Ik staarde gebiologeerd naar
een Mirte die ik niet kende. Een Mirte die bijna volwassen leek
en zo uitdagend sexy danste, dat ik me plaatsvervangend
schaamde.

'Wat een sletje,' hoorde ik Laurie naast me zeggen.

'Nee, dat is ze niet, echt niet,' verdedigde ik haar.

'Nou,' zei Laurie bedenkelijk, 'en dat dan?'

Met stijgende verbazing zag ik hoe een Turkse jongen met
Mirte mee begon te dansen. Hij ging achter haar staan, sloeg
zijn armen om haar heen en schuurde zich tegen haar aan.
Mirte leek het geen probleem te vinden, ook niet toen de jongen zijn handen op haar borsten legde.

Na een paar nummers pakte de jongen haar bij de hand en trok
haar mee naar buiten.

'Laat ze maar oppassen,' zei Laurie.

Een beetje ongerust keek ik hen na.

'Wat gaat Mirte doen?' Frank stond zo plotseling naast me, dat
ik schrok. Ik was zo geconcentreerd geweest op Mirte dat ik
nergens anders op gelet had.

Ik haalde mijn schouders op.

'Kent Mirte die gast?' wilde Frank weten. 'Ken jij hem?'

'Nee.'

'Wat moet ze dan met hem?'

Ik zweeg.

Frank keek ongerust naar buiten. 'Ik ga kijken.'

Op dat moment kwam Kessel ook naar ons toe. 'Wat doen jullie allemaal?' vroeg hij.

'Mijn zusje is er vandoor,' zei Frank bezorgd, 'met een jongen.'

'Laat 'r,' zei Kessel laconiek.

'Hallo, ze is dertien. Mijn ouders zullen razend op me zijn als haar iets overkomt. Ik ga buiten kijken.'

Hij liep naar de uitgang en ik holde hem achterna. Buiten was het donker en nog steeds broeierig warm. 'Ik zie haar nergens,' zei Frank ongerust.

'Laat haar toch,' zei Kessel weer, die ook naar buiten was gekomen.

Een langgerekt 'houd op!' deed me verstijven van schrik.

'Mirte, waar ben je?' Frank begon te rennen.

'Wat was dat?' Ik greep Kessel bij zijn hand. Echt per ongeluk en alleen maar omdat hij naast me stond.

Op dat moment kwam Mirte vanachter een paar struiken tevoorschijn. Ze holde in onze richting regelrecht op Frank af. Die sloeg een arm om haar schouder en nam haar mee naar Kessel en mij.

De Turkse jongen met wie ze zo uitdagend had staan dansen kwam ook vanachter de struiken tevoorschijn. Hij liep zonder ook maar een woord te zeggen langs ons heen naar binnen.

Mirte snikte. Haar witte jurk zat onder de zwarte vegen, haar haar zat verward en ze had een bloederige schram op haar arm.

'Wat is er gebeurd?' wilde ik vragen, maar voor ik ook maar een woord kon zeggen, begon ze te gillen.

'Valse bitch! Ik wist het wel! Ik wist het wel! Ik haat je!' Ze rukte zich los en begon in de richting van onze villa te rennen.

Frank rende achter haar aan.

'Wat was dat nu opeens?' vroeg Kessel verbaasd. 'Waarom begon ze zo tegen jou te schreeuwen?'

Ik haalde mijn schouders op en voelde me superverdrietig. Stond ik hier ergens in Turkije met een jongen op wie mijn beste vriendin verliefd was en...

Chips, dat was het natuurlijk. Daar was Mirte zo boos over geworden. Ze dacht natuurlijk... Ik trok mijn hand uit die van Kessel. We waren al die tijd hand in hand blijven staan en Mirte had natuurlijk gedacht dat wij een setje waren geworden. Ik sloeg mijn handen voor mijn gezicht.

'Wat heb je?' vroeg Kessel.

Ik schudde mijn hoofd. 'Niks. Ik ga naar Mirte.' Ik begon te lopen en voelde hoe Kessel naast me kwam lopen. Hij sloeg zijn arm om me heen.

Zijn arm voelde troostend, maar ik deed een paar stappen bij hem vandaan zodat zijn arm langs mijn arm omlaag gleed.

Bij onze villa zaten Frank en Mirte naast elkaar op een ligbed dat aan de rand van het zwembad stond.

Mirte sprong op, toen ze mij zag. Ze rukte haar BFF-kettinkje los en gooide het woest naar mij toe. Toen draaide ze zich om en liep naar de voordeur.

Ik beet met mijn voortanden op mijn lip. Vorig jaar, toen we allebei naar een andere school gingen had Mirte twee van die kettinkjes gekocht: een voor haarzelf en een voor mij. De halve hartjes pasten precies in elkaar. Best Friends Forever. En nu... Ik bukte me, pakte Mirtes kettinkje op en klemde mijn hand er zo stijf om heen dat het gekartelde randje van het halve hartje pijn deed aan de binnenkant van mijn hand.

We lagen nog maar net in bed of de deur piepte open en werd even daarna weer zachtjes gesloten. Ik zei niks en ook Mirte zei geen woord.

Zondag 1 augustus, later op de dag

Ik voel me heel erg depri. Mirte is nog echt woedend. Ze zag er vanochtend belabberd uit. We waren laat opgestaan en Mirtes ouders waren al op stap. Die gaan er vaak al heel vroeg op uit omdat het dan nog niet zo warm is.

Ik vroeg haar of er gisteravond iets naars was gebeurd.

'Ja,' zei ze. 'Wat dacht je? M'n beste vriendin is m'n beste vriendin niet meer, want ze pikt de jongen in, op wie ik ben.'

'Ik pik Kessel helemaal niet in en ik bedoelde eigenlijk iets naars met die Turkse jongen.'

'Wat kan het je schelen?'

'Ik zou het rot vinden als...' Ik zweeg.

'Als wat?'

'Als, als hij je pijn had gedaan of zo.'

'Nou, als je het dan zo graag wilt weten: pijn deed ie me niet, maar ik wilde dat hij met zijn poten uit mijn broek bleef!'

'Zat hij dan...?' Ik maakte mijn zin niet af. Jakkes, dat leek me behoorlijk ranzig.

Mirte draaide zich om, pakte haar zonnebril, ging door de tuindeuren naar buiten en plofte op een ligstoel naast ons privézwembad.

'Ga je mee naar het grote zwembad?' vroeg ik, maar ze deed net alsof ze me niet hoorde en zette haar zonnebril op haar gezicht.

'Mirte, ik... ik wil Kessel helemaal niet. Echt niet. Hij is voor jou.'

Maar Mirte reageerde niet, dus toen ging ik maar alleen. Ik hoopte dat Tess er zou zijn, maar zij was er helaas niet. Laurie wel. Ze lag bij een groepje jongens en meisjes en zwaaide toen ze me zag. 'Hier is nog wel een stoel vrij!' riep ze me toe.

Laurie stelde me aan de anderen voor en ze

leken me erg aardig. Vooral Lauries broer Jens was vet lollig. Hij kletste aan een stuk door en maakte heel veel grappen. Hij vertelde een echt belachelijke mop, waar iedereen krom om lag.

'Er loopt een man op straat en die is helemaal gewikkeld in wc-papier,' begon hij.

'Soort mummie dus,' zei iemand.

'Zoiets.' Jens grijnsde. 'Iedereen kijken natuurlijk en op een gegeven moment vraagt iemand: "Waarom ben je eigenlijk helemaal in wc-papier gewikkeld?" Zegt de man: "Wat denk je zelf? Omdat ik overal schijt aan heb natuurlijk."'

Ik moest ook heel hard lachen, maar dat was ineens over. Lekker makkelijk, als je overal schijt aan had. Ik kneep mijn ogen dicht. Was ik maar een beetje zo. Ik kneep harder om de tranen, die ik ineens voelde opkomen, tegen te houden. Het duurde nog bijna een week voor we weer naar huis gingen en het zag er niet naar uit dat onze ruzie dan al opgelost was.

Ik kwam overeind uit mijn ligstoel, dook het zwembad in en zwom een eind onder water. Toen ik

weer bovenkwam, zag ik Jens recht tegenover me. Zijn bruine krullen lagen tegen zijn hoofd geplakt.

'Gaat het wel met je?' vroeg hij.

Ik knikte.

'Waar is die vriendin van gisteravond?' vroeg hij.

'Bij ons eigen zwembad.'

'Hebben jullie nog ruzie?'

'Hoe weet jij dat wij gisteren ruzie hadden?'

'Ze fluisterde niet bepaald gisteravond, die vriendin van jou.'

Ik voelde alweer die rottige tranen.

'Ja dus,' concludeerde Jens. 'Kom maar lekker bij ons, heb je ook geen last van die meid. Zullen we van de glijbaan?'

Ik had er geen spat zin, maar ik had helemaal nergens zin in, dus ging ik met Jens mee. En het was gek, maar van al dat ge-klim en geglij vergat ik helemaal mijn ruzie met Mirte.

'Kom je vanavond ook weer naar de disco?' vroeg Laurie, toen we later weer lagen te zonnen.

Haar broer viel haar bij. 'Ja, moet je doen.'

'Ik denk het niet,' zei ik. 'De ouders van mijn vriendin willen dat niet.'

'En gisteravond dan?' wilde hij weten.

'Toen waren we stiekem gegaan.'

Laurie lachte. 'Dan doe je dat toch nog een keer. Kom op, doe eens gek.'

'Ik zie wel,' zei ik vaag. Ik had best zin om met Laurie en Jens uit te gaan, maar ik zag op tegen al het gedoe. Moest ik stiekem in m'n eentje... Nee dat durfde ik niet. Als Mirte en ik nou geen ruzie hadden gehad, hadden we weer samen kunnen gaan. Maar nu...

Toen ik weer bij onze villa kwam, waren Mirtes ouders ook thuisgekomen. Mirte lag nog steeds met haar zonnebril op bij het zwembad.

'Hebben jullie ruzie?' vroeg Mirtes moeder aan mij.

'Ehm,' zei ik.

'Waarover dan?'

Ik keek naar Mirte die onverstoorbaar bleef liggen alsof het haar niet aanging.

Mirtes moeder zuchtte. 'Als jullie geen van beiden iets willen zeggen, dan kan ik ook niet helpen.'

'Ach mens,' zei Mirte. 'Helpen.' Er klonk minachting in haar stem. 'Wat wilde je doen dan?'

'Erover praten bijvoorbeeld?'

Mirte haalde stuurs haar schouders op.

'Het is niet leuk voor Fleur als jij je zo gedraagt,' probeerde Mirtes moeder. 'Fleur is onze gast.'

Mirte snoof. 'Dan gaat ze toch lekker naar huis. Boeie.'

'Mirte, dat slaat nergens op.' Haar vader kwam er ook bij.

'Nou en!?'

'Is er gisteravond misschien iets gebeurd?' vroeg Mirtes vader. Ik stond even verstijfd van schrik en Mirte schrok zich vast en zeker ook helemaal te pletter.

'Hoezo?' vroeg ze.

'We hoorden jullie gisteravond weggaan. Ik keek uit het raam en zag dat de jongens erbij waren en daarom wilden we het voor een keertje door de vingers zien.'

'O,' zei Mirte een beetje dommig.

'Ja, we vonden het ook een beetje sneu voor jullie als wij in de disco zouden verschijnen om jullie daar weg te slepen.' Mirtes vader had een klein lachje. 'Toen jullie 'm net gesmeerd waren, moest ik je moeder bijna vastbinden want die wilde er meteen opaf.'

'O,' zei Mirte nog een keer.

'Ik kan je niet vertellen hoe blij ik was dat jullie op een gegeven moment weer veilig in je bed lagen,' voegde haar moeder eraan toe. 'Telkens als ik wakker schrok, ging ik even kijken.'

'Hoezo wakker schrok?' vroeg Mirte een beetje nukkig.

'Omdat jullie er niet waren,' legde haar moeder uit. 'Daarom!'

'Maar,' ging haar vader verder, 'als jullie groot genoeg zijn om een avondje naar de disco te gaan, dan verwacht ik ook dat jullie groot genoeg zijn om een conflict uit te praten. Dus?'

'Nou goed dan! Als het moet. Ik vind Kessel leuk en Fleur weet dat en toch pikt ze hem in.'

'Zo,' zei haar vader. 'En wat zegt Fleur?'

'Ja, dat het niet zo is natuurlijk, maar ik heb het zelf gezien.'

'Kan Fleur misschien voor zichzelf praten?' vroeg Mirtes vader.

Ik kuchte. 'Ik pik Kessel niet in, echt niet. Ik ben niet op hem en ook niet op Frank.'

'Waarom denkt Mirte dat dan?'

'Omdat ik hand in hand stond met Kessel, toen, toen...' Ik stokte. Dit kon ik natuurlijk niet aan de ouders van Mirte vertellen.

'Nou?' drong Mirtes vader aan.

'Ik schrok van een gil en toen pakte ik Kessels hand. Echt alleen omdat ik schrok.'

'Dus als ik er had gestaan, had je mijn hand gepakt.' Mirtes vader knipoogde even naar mij.

'Ik denk het,' zei ik.

'Ze denkt het,' zei Mirte minachtend. 'Nou, en ik denk het niet. Ze is een gemene bitch.'

'Mirte, je bent in de war.' Haar moeder legde haar hand op Mirtes schouder. 'Fleur is je beste vriendin. '

'Wás,' zei Mirte nadrukkelijk.

'Een ruzie is er om bijgelegd te worden,' probeerde Mirtes moeder te bemiddelen. 'Kom, geef elkaar een hand, of nog beter een knuf.'

Ik keek naar Mirte. Ze lag nog steeds op haar ligstoel en de zonnebril belette me haar ogen te zien. Haar een knuffel geven, na alles wat er gebeurd was? Dacht het toch echt niet. Ze geloofde me niet. Ze dacht dat ik Kessel wilde inpikken, alsof ik zoiets ooit zou doen. Een gemene bitch had ze me genoemd en gezegd dat ik haar beste vriendin niet meer was. Never nooit dat ik haar een knuffel ging geven.

Vrijdag 6 augustus

O, het is allemaal zó waar-de-loos. Mirte en ik hebben nog steeds ruzie. Het verpest alles en alles. Overdag trek ik veel op met Jens en Laurie en hun vrienden. Dat is leuk, maar ik mis mijn lieve vriendinnetje. Bij het eten 's avonds in het restaurant voel ik me helemaal zó ellendig. Mirte zegt geen woord. Tegen niemand niet. Haar ouders proberen zo gewoon mogelijk te doen, maar ik voel me zó opgelaten.

Gelukkig gaan we morgen naar huis. Ik heb de nachten geteld en ik ben echt onwijs opgelucht. Nu Mirte zo raar doet, voel ik me alleen en verloren. Ik verlang zó naar huis. Naar papa, mama, omi en naar mijn lieve kleine Charlie. Wat zou ik haar graag even knuffen en achter haar oortjes kriebelen. Mijn gezicht verstoppen tegen haar warme zachte lijfje en haar staart voelen zwiepen tegen mijn gezicht.

Mirte lijkt opeens wel beste vriendinnen met Tess. Overdag liggen ze samen bij het zwembad te kletsen. Ik ben benieuwd waar ze het over hebben. Vast en zeker over wat voor waardeloze vriendin ik ben.

Ik trek veel op met Laurie en Jens. Jens is echt leuk en ik geloof dat ik een ietsiepietsie verliefd op hem ben.

Jens is altijd vrolijk én hij kan zingen. Hij vertelde dat ze een paar jaar geleden op vakantie waren in een groot vakantiepark in Spanje en dat er een karaokeshow werd gehouden. Toen is hij ontdekt, nou ja, er was iemand die vond dat hij talent had. Terug in Nederland werd er een cd'tje van hem gemaakt en hij treedt hij ook weleens op in een café of zo en ook op zijn school. Daar hebben ze elke maand een muzikaal intermezzo. Dan wordt het uur voorafgaand aan de pauze vrij geroosterd en dan mogen de leerlingen die dat willen muziek maken in de aula. Best cool.

En vanavond treedt hij hier op. Ook weer in een karaokeshow. Iedereen die goed kan zingen (of niet) mag meedoen. Hij vraagt steeds of ik ook mee wil doen of dat ik in elk geval kom luisteren, en ook Laurie zegt steeds dat ik moet komen.
Ik kan echt voor geen meter zingen, maar ik zou het natuurlijk wel super vinden om met Jens en Laurie mee te gaan én Jens te horen zingen, natuurlijk.
Hadden Mirte en ik nou maar geen ruzie, dan hadden we samen kunnen gaan.
Ik mis Mirte. Ik mis haar verschrikkelijk, mijn BFF.

Vanavond bij het eten vroegen Mirtes ouders of wij wel wisten dat er vanavond een karaokeshow was.
Frank zette meteen een nummer van Frans Bauer in en Kessel blèrde mee.
'Stil toch, jongens,' zei Mirtes moeder een beetje gegeneerd. 'We zitten hier niet alleen.'
'Wat geeft dat nou. Krijgen ze alvast een voorproefje.'
'Maar wat ik wilde vragen,' ging Mirtes moeder verder. 'Hebben jullie zin om er heen te gaan?'
'Ja!' riep ik enthousiast.
'Hoezo nu opeens wel?' vroeg Mirte arrogant aan haar ouders.
'Omdat het de laatste avond is,' zei Mirtes moeder, 'en omdat ik hoop dat jullie het dan misschien goedmaken.'
'Dacht het niet,' antwoordde Mirte.
'Mirte, op deze manier verpest je Fleurs vakantie en ook je eigen vakantie, trouwens.' De stem van Mirtes moeder klonk teleurgesteld.
'Pfff, mijn vakantie is allang verpest en Fleur vermaakt zich echt wel zonder mij, hoor.'
Er viel een stilte.

25

'Jongens, gaan jullie dan met Fleur mee?' vroeg Mirtes vader. Frank en Kessel keken elkaar aan. 'Ehm, nou,' begon Frank. 'Wij hebben vanavond een afspraak met de mensen van onze duikcursus om samen nog wat te gaan drinken.'

'Ik kan met Laurie en Jens gaan,' zei ik haastig.

Natuurlijk wilden Mirtes ouders precies weten wie Laurie en Jens waren, maar toen ze hoorden dat zij hier ook met hun ouders op het park logeerden, vonden ze het goed, als ik tenminste beloofde om twaalf uur weer thuis te zijn.

Toen we na het eten weer in ons huis waren, graaide ik mijn jurkje tussen de al ingepakte spullen vandaan en trok het haastig aan. Ik wilde klaar zijn voor Mirte boven kwam. In de badkamer tutte ik me een beetje op. Zulke mooie opgemaakte ogen als Mirte gemaakt had, lukte me niet. Het bleef bij wat mascara en een dun zwart lijntje.

Toen ik aankwam, was het al hartstikke druk. Laurie en Jens kwamen meteen naar me toe en namen me mee naar hun vrienden, die ik al kende van het zwembad.

Jens was best een beetje zenuwachtig. 'Heb ik altijd voor een optreden,' zei hij stoer. 'Doe mij maar een biertje.'

Een paar jongens uit onze groep gingen drankjes halen.

'Wat wil jij?' vroegen ze aan mij.

'Cola.'

Jens sloeg zijn arm om mijn schouder. 'Ik heb een beetje steun nodig, hoor,' zei hij en hij leunde over mij heen, 'mijn benen bibberen als een gek.'

Mijn benen bibberden opeens ook als een gek, maar niet omdat hij op moest treden. Ik rook zeep en voelde zijn warme adem tegen mijn wang. Het voelde wel een beetje gek. Niet vervelend of zo, maar anders, anders dan met vriendinnen. Mirte en ik hadden elkaar zo vaak omarmd, maar dat was vertrouwd. Mirte, mijn Mirte die mijn Mirte niet meer was.

Als eerste trad een heel dikke vrouw op, die iets Nederlands-talig zong. Verschrikkelijk schel en verschrikkelijk vals. Toch kreeg ze applaus. Na haar kwam er een groepje giechelmeisjes. Ze waren heel erg opgemaakt en ontzettend sexy gekleed.

'Wat een sletjes, zeg!' zei Laurie.

Toen de meiden begonnen te zingen en te dansen, begon iedereen mee te klappen. Ze zongen best goed en op het laatst zong iedereen het refrein uit volle borst mee.

Keer op keer kom ik een jongen tegen, keer op keer
Keer op keer, woew! hij is het helemaal, is het helemaal
Keer op keer wat valt ie dan weer tegen
Keer op keer denk ik loop maar naar de maan
Loop maar naar de maan
yeah woow

Wel een beetje een triest liedje natuurlijk, maar het klonk lekker.

En toen was Jens aan de beurt.

Wie of wat hij zong, weet ik niet, maar het klonk heel mooi. Iedereen werd stil, veel stiller dan bij die dikke vrouw en die drie giechels.

Zoals hij daar stond te zingen, in zijn blauwe spijkerbroek met een wit T-shirt erboven, werd ik op slag verliefd. Tenminste, ik denk het. Ik vond hem de leukste, liefste en mooiste jongen van de wereld, veel leuker, liever en mooier dan ik Nigel en Sem ooit gevonden had. Nou ja, misschien was dat niet helemaal waar. Het was anders. Ik wilde dat hij zijn arm weer om me heen zou slaan. Ik wilde mijn hoofd tegen zijn schouder leggen en misschien wel met hem zoenen. Misschien. Ik dacht aan de tongzoentips van Tara en aan het gekke broodje aap verhaal van Mirte over de jongen en het meisje die al zoenend met hun beugels aan elkaar vast kwamen te zitten. Gelukkig had Jens er geen.

Hoe zou het zijn om met hem te zoenen? Wilde ik dat echt? Ik kreeg geen tijd om er goed over na te denken want het nummer was afgelopen en Jens kwam alweer naar ons toe. Meteen voegden ook de drie giechelmeisjes zich bij ons en ze tetterden om het hardst dat ze Jens' optreden helemaal te gek vonden. Laurie trok een raar gezicht tegen mij, maar Jens leek de belangstelling wel oké te vinden, helemaal toen er nog een paar meisjes bijkwamen, die allemaal met hem op de foto wilden en een handtekening vroegen.

Jens haalde geroutineerd een stapeltje kaarten tevoorschijn, met daarop zijn foto én een handtekening.

Ik was helemaal verbaasd. Hij leek wel een echte artiest!

Laurie moest lachen om mijn gezicht. 'Dat had je niet gedacht hè? Hij is echt wel goed hoor.'

'Ja,' zei ik. 'Ja.'

Laurie duwde me een kaart in mijn handen.

Ondertussen trad er alweer iemand op. Dit keer een man met een enorme cowboyhoed, een gitaar en een diepe basstem.

Ik keek naar het lachende gezicht op de kaart in mijn handen en toen naar de jongen met wie ik het de afgelopen dagen zo gezellig had gehad. Ik voelde me zó gewoon en ook zó alleen. Ik zag hoe hij op een gegeven moment zoekend rondkeek. Zocht hij mij? Een kort moment keken we elkaar aan. Hij lachte en wenkte. Ik voelde me opeens weer helemaal blij. Ja, hij zocht mij! Ik deed een paar stappen in zijn richting, maar toen ik vlak bij hem was drongen zich twee meisjes tussen hem en mij voor een handtekening. Jens lachte verontschuldigend naar mij en sloeg zijn armen om de meisjes heen. Nou, en toen was ik er klaar mee. Ik had gedacht dat Jens mij net zo leuk vond als ik hem, maar nu…Volgens mij vond hij gewoon alle meisjes leuk.

Ik draaide me om en vluchtte weg. Vaag hoorde ik nog mijn naam roepen, maar ik had het echt helemaal met die jongen gehad.

02.30 uur

Het is natuurlijk al loeilaat en over precies negen uur moeten we in het vliegtuig zitten, maar ik ben klaar- en klaarwakker. Mirte slaapt.

Ik was al voor twaalven thuis en Mirtes ouders zaten op me te wachten. Ze vroegen hoe het was en ze waren echt heel lief belangstellend. Ik vertelde dat het leuk was geweest, want ik had geen zin om te zeggen dat het was tegengevallen.

Toen ik eenmaal in bed lag, kon ik natuurlijk niet meteen slapen. Ik moest steeds denken aan Jens en hoe het allemaal gegaan was. Heel anders dan ik had verwacht. Maar eigenlijk wist ik ook niet precies wat ik dan verwacht had. Hij had me in elk geval niet thuisgebracht, zoals ik stiekem had gehoopt. Nee, die loser had het gewoon veel te druk gehad met al die meiden die voortdurend om hem heen hingen. Hij was gewoon een ordinaire player.

Langzamerhand werd ik bozer en bozer. Wat een waardeloze gast was het ook eigenlijk. Maar aan de andere kant: was het eigenlijk niet logisch dat hij aardig deed tegen die meisjes? Wij hadden toch helemaal niks met elkaar? En zo lag ik te denken en te draaien van mijn ene zij op mijn andere. Morgen naar huis. Morgen...

Opeens schrok ik wakker van een geluid. Ik moest dus in slaap zijn gevallen. Ik grabbelde mijn mobiel tevoorschijn en zag dat ik hooguit een kwartiertje geslapen had. Met gespitste oren lag ik te luisteren. Het was eerst stil en ik dacht al dat ik me het geluid verbeeld had.

Maar toen hoorde ik een gesmoord gesnik vanuit het andere bed. Mirte huilde. Het klonk zó zielig dat ik er tranen van in mijn ogen kreeg. Ja, ik heb gewoon heel snel medelijden.

'Mirte,' fluisterde ik.

Meteen hield het snikken op.

'Mirte.' Ik kwam overeind. 'Waarom huil je?'

Ik sloeg mijn benen over de rand en ging staan. Zachtjes liep ik naar het bed aan de andere kant van de kamer. Mirte was helemaal weggekropen en aan het schokken van de bult onder het laken was te zien dat ze echt heel verdrietig was.

Ik moest er zelf ook bijna van huilen en legde voorzichtig mijn hand op de schokkende bult. 'Toe nou Mirt, wat is er?'

'Niets,' klonk het dof. 'Helemaal niets.'

'O, je huilt om niets,' zei ik. 'Lekker logisch.'

'Omdat, omdat, ik zo s…stom b…ben geweest,' haperde ze, 'tegen, tegen jou.'

Het was alsof er een loden last van me afviel.

'Ik, ik heb onze vriendschap verpest. Frank zei vanavond, Frank zei dat Kessel echt niks in jou ziet en ook niet in mij trouwens. En dat hij ook niks in ons gezien hád. Frank vertelde dat Kessel zei dat hij geen pedofiel was!' Mirtes stem klonk nu even verontwaardigd en ze haalde luidruchtig haar neus op.

'Pfff, pedofiel. Hij is maar twee jaar ouder dan wij,' kon ik niet laten te zeggen.

Ik was blij dat Mirte spijt had, maar ik kon niet zomaar zeggen dat het niets gaf. Ik had me zo ontzettend in de steek gelaten gevoeld.

'Ben je heel erg boos?' Mirte sloeg haar dekbed terug en ging overeind zitten. Haar neus was rood en haar ogen gezwollen.

Ik dacht na. Ik wist het eigenlijk niet zo goed.

Mirte begon opnieuw te huilen. 'Nou ben ik mijn beste vriendin kwijt. Frank zei al dat ik een enorme sukkel was om jou vals te beschuldigen.'

'Nee, je bent me niet kwijt,' begon ik, 'maar ik kan ook niet net doen alsof er niets gebeurd is.'

'Nee.' Mirte schudde haar hoofd. 'Tuurlijk niet.' Ze zag er echt zielig uit. 'Hoe kan ik het dan goedmaken?' vroeg ze met een stem vol tranen.

Ik haalde mijn schouders op. Diep in mij verscholen zat een brokje boosheid en dat maakte dat ik niet zomaar weer helemaal goed op haar kon zijn, ondanks mijn medelijden.

'Ik was gewoon verliefd op Kessel en ik dacht, ik dacht dat hij jou leuker vond en ik dacht ook dat jij hém leuk vond. Het is zo ont-zet-tend stom dat ik jou niet geloofde.'

'Ja,' zei ik. 'Ja.'

Mirte sloeg haar armen om me heen. 'Jij bent echt zó mijn allerbeste en allerliefste vriendin!'

'Jij ook de mijne.'

'Echt?'

'Ja, tuurlijk.'

Ik stond op, liep naar mijn al ingepakte koffer en begon erin te rommelen.

'Doe je?'

'Wacht, hier heb ik het.' Ik sloot mijn hand om de beide BFF kettinkjes en voelde de gekartelde randjes van de twee halve hartjes die samen een hele vormden.

Nadat Mirte haar kettinkje voor mijn voeten had gegooid, had ik het mijne ook afgedaan en ze samen in mijn toilettas gestopt. Met de beide kettinkjes in mijn hand geklemd liep ik terug naar Mirtes bed en ging zitten. 'Kijk!'

'O Fleur, wat ben je toch een schat en ik schaam me helemaal dood.' Ze sloeg weer haar armen om me heen.

'Wil jij hem bij mij omdoen, dan doe ik

het bij jou?' Mirte liet me los.

'Goed.' Ik maakte het ene kettinkje bij haar vast en zij deed het andere bij mij.

Ik gaapte. 'Ik ben hartstikke moe.' Ik liep terug naar mijn eigen bed.

Mirte gaapte ook. 'Trusten. En Fleur?'

'Ja?'

'Had je eigenlijk een leuke avond? Ik hoorde je thuiskomen.'

Ik zweeg. Ik had geen spat zin om dat nu met Mirte te bespreken. Het was gek, maar ik had nog steeds een beetje last van dat kleine brokje boosheid dat ondanks het feit dat we het hadden goedgemaakt, niet wilde verdwijnen.

'Fleur?'

'Jawel,' zei ik afwerend.

'Ik zal je voortaan altijd geloven, hoor.' Mirtes stem klonk zo zacht dat ik haar bijna niet kon verstaan.

'Is goed,' fluisterde ik.

Langzaamaan hoorde ik Mirtes ademhaling steeds regelmatiger worden, maar ik lag nog heel lang wakker, alhoewel ik doodmoe was.

Zaterdag 7 augustus

Vandaag zijn we weer thuisgekomen. Papa en mama waren met Charlie op Schiphol om me op te halen. Het was fijn om hen weer te zien. Ik had ze onwijs heftig gemist.

Charlie jankte en sprong tegen mijn benen omhoog, totdat ik me bukte om haar op te tillen. Het was heerlijk om mijn gezicht in haar warme vacht te duwen. Charlie deed verwoede pogingen om mij over mijn neus te likken.

Toen was het tijd om afscheid te nemen. Ik gaf Mirtes ouders een hand en bedankte hen. En ook Frank en Kessel gaf ik een hand. Mirte en ik omhelsden elkaar natuurlijk, maar het voelde niet meer zo vertrouwd als eerst. We hadden het weliswaar goedgemaakt, maar er was iets tussen ons veranderd. Iets, ik weet niet wat. Onze vriendschap was niet meer zo vanzelfsprekend. Ik was me er ineens bewust van geworden dat het zomaar voorbij kon zijn.

Papa en mama zagen meteen dat er iets was.

'Viel het een beetje tegen?' vroeg mama toen we in de auto zaten.

'Een beetje,' zei ik.

'Wat dan? wilde papa weten.

Ik vertelde papa en mama wat er gebeurd was.

'Meissie, wat vervelend voor je,' zei mama. 'Konden de ouders van Mirte niet helpen?'

'Mirte was ook boos op hen,' zei ik.

'Je hebt je er vast ongelukkig onder gevoeld,' meende mama.

'Ja, het was echt naar. Mirte was altijd mijn allerliefste vriendin en we konden elkaar in alles vertrouwen en nu niet meer.'

Toen zei mama dat vriendschappen door de tijd heen vaak veranderden.

'Maar dat wil ik helemaal niet,' riep ik uit. 'Ik wil gewoon dat we beste vriendinnen blijven.'

'Maar dat kan toch ook,' zei papa. 'Als jullie dat allebei graag willen. Wat is het probleem?'

'Ik ben bang dat Mirte weer ruzie met mij gaat maken.'

'Mirte zal ongetwijfeld erg geschrokken zijn,' merkte mama op. 'Denk je niet?'

'Ja, dat wel.'

'En ik denk dat ze zich daarom nog wel een keer zal bedenken voordat ze je weer allerlei verwijten gaat maken.'

'Ik hoop het.' Ik zuchtte zorgelijk.

'Kom op Fleur!' Papa's stem klonk een beetje streng. 'Het is net als met jouw turnen: als jij voortdurend maar denkt dat het niet goed zal gaan, dan gáát het ook niet goed.'

'Maar…' begon ik.

'Nee, niks maar,' zei papa. 'Probeer positief te denken. Jullie hebben het bijgelegd en nu is het klaar. Je moet er op een gegeven moment ook een punt achter kunnen zetten. En vertel ons nu maar eens hoe het verder in Turkije was.'

Ik zweeg. Van Turkije had ik niet veel meer gezien dan de route van en naar het vliegveld. Al die tijd had ik aan de rand van het zwembad gezeten. En ik had ook geen zin om het over Jens te hebben.

'Later,' zei ik. 'Ik ben moe.'

Ik deed mijn ogen dicht en deed alsof ik sliep.

Eenmaal weer thuis, pakte ik mijn spullen uit en startte daarna mijn laptop op. Ik keek naar de kaart van Jens en toetste de website in waarvan ik de www al kon dromen. Zijn lachende gezicht vulde mijn beeldscherm. De loser. De player.

Maandag 9 augustus

Gisteren zijn oma en ik naar ons appartement gegaan, want vandaag was het de eerste trainingsdag. Deze laatste twee weken van de vakantie moet ik elke dag trainen.

Het was fijn om Hans en de meiden weer terug te zien na al die weken. Natuurlijk kletsten we in de kleedkamer eindeloos over de vakantie.

'Leuke jongens ontmoet, daar in Turkije?' wilde Evi weten.

Meteen zag ik Jens' lachende gezicht voor me.

'Vertel,' drong Evi aan.

Ik schudde mijn hoofd. 'Jij?' vroeg ik.

Evi begon te vertellen over de leukste jongen van de camping waar ze zaten. Dat die leuke jongen voortdurend bij de tent was gekomen om haar op te halen om te gaan tafeltennissen of naar het strand te gaan.

'Heb je nu verkering?' wilde Juno weten.

'Ja, ik geloof het wel. We twitteren en mailen elke dag en hij komt binnenkort op bezoek.'

De deur ging open en er kwam een meisje binnen. Een nieuw meisje. Ze zag er heel mooi uit, met lange zwarte haren en een getinte huid. Ze was een stuk kleiner dan ik en heel slank. Ze vertelde dat ze Sying heette. We waren natuurlijk erg benieuwd in welk groepje ze mee zou turnen. Ze zei dat ze net dertien was geworden. Dat betekende dus dat ze met Britt, Chrisje, Juno, Evi en mij mee zou moeten trainen.

'Ben je goed?' vroeg Britt.

'Ja,' zei ze. 'In China behoorde ik tot de beste tien meisjes in mijn leeftijdscategorie.' Ze sprak vloeiend Nederlands met een licht accent.

'In China?' vroeg Juno verbaasd. 'Waarom ben je dan nu hier?'

Ze vertelde dat haar moeder een Chinese was en haar vader een Nederlander en dat ze in China hadden gewoond omdat haar vader daar een aantal jaren had gewerkt. Ze waren voor haar vaders werk naar Nederland gekomen en ze hadden ervoor gekozen om hier te gaan wonen, omdat ze hadden gehoord dat hier excellente turntraining werd gegeven. Excellente, wat een woord!

We keken elkaar aan. We zeiden het niet, maar we vreesden allemaal hetzelfde, (ten-

Sying

minste, dat denk ik) namelijk dat Sying een regelrechte bedreiging voor ons vormde. Ik hoop nog steeds op een eerste plaats bij het NK. Wij allemaal natuurlijk, maar Britt en ik al helemaal. Wij waren bij de afgelopen kampioenschappen als vierde en derde (ik) geëindigd, dus voor ons tweeën ligt een eerste plaats best wel een beetje voor het grijpen, ik bedoel, het zou moeten kunnen, maar dan moet er natuurlijk niet opeens een steengoeie in onze leeftijdscategorie komen. Echt waardeloos.

Toen we in de turnzaal waren, konden we de 'Syingbedreiging' met eigen ogen zien.
We waren nog niet echt begonnen, maar klooiden een beetje aan om er in te komen. Ik klom op de trampo en probeerde zo hoog mogelijk te springen. Daarna oefende ik de schroef. Britt hing aan de rekstok en deed de ene reus na de andere. Dit was echt genieten. Vrij turnen zonder meteen bekritiseerd te worden door Hans.
Sying koos de balk en ze maakte flikflak na flikflak alsof het niets was. Ik zag het vanuit mijn ooghoeken en realiseerde me dat ze echt verschrikkelijk goed was. Ze oefende een heel bijzondere opsprong. Ze probeerde vanaf de springplank in spagaat op de balk te springen. Verschrikkelijk moeilijk. Het lukte haar steeds net niet.
Een luide stem deed ons opschrikken. In de deuropening stond een vrouw. Het was onmiskenbaar de moeder van Sying. Ze praatte heel hard, in het Chinees natuurlijk, en ze deed een paar stappen de zaal in. Sying praatte net zo hard terug, ook in het Chinees.
Hans greep meteen in. Hij stuurde Sying van de balk en liep vervolgens naar haar moeder. Sying kwam naar de trampoline toe.

'Wat zei je moeder?' vroeg ik.

'Dat het m'n eigen schuld is, dat ik naast de balk terechtkwam.
Ik had me beter moeten concentreren.'

'O,' zei ik verbluft.

Sying lachte. 'Mijn moeder is superstreng. Ik moet de spagaat-
opsprong elke dag minimaal vijftig keer van haar oefenen.'

'Nee!' Ik keek haar ongelovig aan. 'Je traint niet eens elke dag.'

'Jawel,' zei Sying beslist. 'Want ik heb thuis een balk.'

'Echt? Een echte balk?'

'Ja. Mijn moeder traint elke dag met me.'

'Vind je dat leuk?'

'Hoezo? Daar gaat het toch niet om?'

'O nee?' Ik keek haar verbaasd aan. 'Waar gaat
het dan om?'

'Om de beste te worden natuurlijk.'

'Ja maar, als je er toch geen plezier in hebt, dan…'

'Ik heb er plezier in,' zei Sying beslist. 'Turnen is mijn alles.'

Ik knikte. Dat herkende ik.

'Maar waarom doe je zo'n moeilijke opsprong?' wilde Juno
weten, die er ook bij kwam staan. 'Onze trainer zegt altijd dat
we de balkopsprong het best zo simpel mogelijk kunnen houden.'

'O?' Sying trok haar wenkbrauwen op. 'Hoezo?'

'Nou, als je er door een moeilijke opsprong afgaat, heb je meteen een punt aftrek en je bent je concentratie kwijt.'

'O, maar ik ga er niet af,' zei Sying zelfverzekerd. 'Als ik hem
eenmaal kan, dan kan ik hem ook.'

'Meiden.' Hans klapte in zijn handen. Wij kwamen om hem
heen staan.

Hans vertelde ons dat we komend jaar twee uur danstraining
zouden krijgen van… Alma!

Alma is mijn trainster van vroeger en bij de NK van afgelopen jaar had ik haar betrapt toen ze met Hans stond te zoenen.

Hans zei dat Alma samen met ons de vloeroefening zou gaan bedenken. Dat Alma voortaan ook bij de meeste trainingen zou zijn. Dat Alma een goede aanvulling was in onze turntraining, omdat zij weer op andere dingen lette dan hij. Dat Alma en hij samen een goed trainingsduo zouden vormen.

Alma, Alma, Alma. Waar het hart vol van is, loopt de mond van over, zegt oma wel eens tegen mij, als ik aan een stuk door praat over een oefening die opeens gelukt is.

Het was wel duidelijk waar Hans' hart vol van was.

Toen hij vertelde dat Alma nu ook hier woonde, moes-
ten we allemaal giechelen, behalve Sying natuurlijk, want die wist niks van de romance tussen Hans en Alma.

'Waar precies?' vroeg Britt een beetje brutaal. 'Ze kampeert toch niet hier in de turnzaal?'

'Ehm, het precieze adres weet ik niet,' zei Hans.

'Nee, nee,' zei Britt, 'dat zal wel niet.'

We giechelden nog harder, helemaal toen Hans een beetje rood werd en met zijn houding verlegen leek.

Britt   Ik keek naar Britt. Ik wist dat ze Hans leuk vond. Had ze zelf gezegd. Voor de zomer hadden we Hans "Een beetje te oud voor Britt lekker streng ding" genoemd. Ze had gezegd dat ze niet verliefd was, maar ik twijfelde opeens toch een ietsepietsie.

'Wat staan jullie nou dom te lachen,' zei Hans wat geërgerd. 'Hup, trainen en snel een beetje.'

Nog een beetje na gniffelend gingen we aan het werk.

Net als altijd was de eerste training na de zomervakantie weer helemaal fantastisch, maar tegelijkertijd was het ook verschrikkelijk afzien. Je raakt in de weken dat je niet zoveel doet toch echt een heel stuk van je routine kwijt.

Ik deed mijn oude oefeningen van verleden jaar om erin te komen en verheugde me al op de nieuwe. Ik mag dit jaar voor het eerst zelf mijn oefeningen samenstellen en dat vind ik zo gaaf. Vooral die van vloer. Ik ga er natuurlijk heel veel elementen in stoppen die ik goed kan.

Uiteraard moet hij wel aan allerlei eisen voldoen, zoals bijvoorbeeld voldoende acrobatiekelementen en het benutten van alle vier de hoeken en zo, maar ik kan het voor een groot deel zelf bepalen.

Toen Alma binnenkwam, vloog ik haar om de hals. 'Wat fijn dat je hier komt trainen,' riep ik. 'Superdesuper!'

'Ik zal maar hopen dat je zo enthousiast blijft.' Alma lachte. 'We gaan pittige dingen in je oefeningen stoppen, als je dat maar weet.'

'Tuurlijk,' zei ik. Ik voelde me zo fantastisch dat ik voor mijn gevoel zo naar het plafond zou kunnen vliegen als ik dat wilde.

'Ik ben ook streng, hoor!' waarschuwde Alma.

'Weet ik!'

'Dan is het goed!'

Daarna maakte Alma kennis met de andere meisjes, die haar natuurlijk nog niet zo goed kenden als Britt en ik, omdat zij nog nooit door haar getraind waren.

Het viel me op dat Britt lang niet zo enthousiast was als ik.

'Vind je het niet leuk, dat Alma hier training komt geven?' vroeg ik haar.

Britt haalde haar schouders op. 'Boeie! Ik vraag me gewoon af wie er dan in de weekenden onze trainingen gaat doen.' Ze liep naar de tumblingbaan en zette af voor een serie spetterende flikflaks en salto's.

'Goed gedaan, Britt.' Alma stak haar duim omhoog.

Zonder iets te zeggen liep Britt naar de balk, waar ze met een schuine aanloop in schaarsprong tot buitendwarszit kwam en aan haar oefening begon.

Zaterdag 21 augustus

Vandaag is een superdag. Ten eerste ben ik lekker thuis, in mijn eigen huis en op mijn eigen kamer en ten tweede had ik vanochtend turnen, gewoon van Alma! Jippie, gelukkig geen nieuwe. Alma vertelde dat ze doordeweeks bij Hans woont en in het weekend in haar eigen huis. En als dat dit jaar allemaal goed gaat, gaan ze na de volgende zomer echt officieel samenwonen.

'O,' zei Britt en ze keek er ongelooflijk arrogant bij.

Volgens mij is ze het er niet zo mee eens. Dat bleek ook al eerder, toen Alma ons hielp met het invullen van onze turnoefeningen. De mijne zijn trouwens inmiddels klaar en hoe lekker is dát?!

Alma en ik hebben er afgelopen twee weken elke dag aan gewerkt. Alma wilde Britt ook helpen bij de samenstelling van haar oefeningen, maar die wilde dat pertinent niet.

'Hans is mijn trainer, hoor,' zei ze, toen Alma het voorstelde. 'Ik ben niet voor niks vorig jaar overgestapt.'

Ik zag dat Hans en Alma elkaar even aankeken en dat Alma even haar wenkbrauwen optrok. Helaas zag Britt het ook.

'Wat?' Haar stem klonk behoorlijk bitchy. 'Jullie denken zeker dat ik een klein kind ben, hè? Dat je alle kanten op kunt drillen. Nou, ik dacht het niet!'

Ik hield mijn adem in. Zouden Hans en Alma dat pikken?

'Wind je niet op,' zei Alma rustig. 'Het is maar een voorstel omdat ik jullie twee al ken.'

'Dan doe ik het toch,' zei Hans rustig. Hij klopte Britt bedarend op haar schouder.

Dus hielp Hans Britt, Chrisje en Evi en Alma was met mij, Juno en Sying bezig. Nou ja, aan Sying hoefde ze eigenlijk niks te doen want die had samen met haar moeder de moeilijkste oefeningen in elkaar gedraaid. Alma keek bedenkelijk toen ze Syings oefeningen bekeek en dat snapte ik. Ze had waanzinnig moeilijke dingen gekozen. Als haar dat allemaal ging lukken, zou ze heel hoog eindigen, misschien wel als eerste.

'Heel ambitieus, dat wel, maar je moet ze wel perfect kunnen uitvoeren, anders krijg je behoorlijk wat aftrek.'

'Mijn moeder weet dat ik dit kan,' zei Sying vastberaden. 'Vraagt u het haar maar.'

'Ik zal het met Hans overleggen.' Alma knikte haar even toe.

'Je moet met mijn moeder overleggen,' zei Sying, 'want zij bepaalt mijn oefeningen.'

'Maar je traint nu hier, dus dan moet je ook luisteren naar wat wij zeggen.'

'Natuurlijk luister ik, maar mijn moeder...' Sying zweeg en keek opeens een beetje triest.

'Wij zullen met je moeder praten,' zei Alma rustig, 'maak je nou maar geen zorgen.'

'En, heb jij al nagedacht over je oefeningen?' wendde ze zich tot mij.

Tuurlijk had ik dat en ik begon ijverig op te sommen wat ik allemaal wilde. Op de balk wilde ik onder andere een losse radslag, flikflak looppsalto, losse overslag (twee maal). Voor mijn vloeroefening wilde ik in elk geval een arabier tempo salto hele schroef en een dubbele schroef achterover.

Alma knikte goedkeurend. 'Klinkt goed!'

Mijn oefeningen kwamen er dan wel niet zo spectaculair uit te zien als die van Sying, maar ik was tevreden. Wat zij van plan was, zou mij toch niet lukken. En het was ook nog maar afwachten of het Sying ging lukken.

En ten derde is deze dag een superdag omdat... tadaa... omdat ik een vriendenuitnodiging op mijn Hyves heb van... Jens! Toen ik op Hyves ging, had ik zoals altijd, verschillende vriendenuitnodigingen.

En nu, op zaterdag 21 augustus, was er dus, tussen negen andere uitnodigingen een vriendenuitnodiging van Jens! Ik wist even niet wat ik zag. Ik had gedacht dat ik nooit meer iets van hem zou horen. In zijn uitnodiging schreef hij: *Je was ineens weg!!! waarom?!? wil je weer zien!! xxxJens*

Ik was ineens super- en superblij. Hij wilde me weer zien.

Ik bekeek zijn profiel en voelde me even in de zevende hemel. Hij vond me dus tóch leuk! Hij woont wel heel ver van mij vandaan. Volgens mij wel twee uur reizen met de trein. Dat is balen natuurlijk, want dan kunnen we elkaar niet heel gemakkelijk zien.

Ik zag dat hij meer vrienden had dan ik. Bijna drieduizend! Veel fans blijkbaar. Hij had ook een paar filmpjes op zijn profiel waarop hij zijn liedjes aan het zingen was. Het zag er best professioneel uit. Zó cool.

Toch accepteerde ik 'm niet meteen. Nee, ik dacht: laat hem maar mooi even wachten.

Nadat ik zijn filmpjes ik-weet-niet hoe vaak bekeken had, accepteerde ik de andere uitnodigingen en stuurde iedereen een welkomstkrabbel. Daarna bekeek ik de uitnodiging van Jens nog een keer. Zou ik hem toch...? Ik ging met de cursor op accepteren staan. Nee, hij moest niet denken dat ik op hem had zitten wachten. Nu was het zijn beurt om te wachten.

Dinsdag 24 augustus

Vandaag was de eerste schooldag. Ik ga nu naar de tweede klas. Aan het eind van dit jaar moet ik kiezen wat ik ga doen: havo of vmbo-tl. Mijn rapport voor de zomervakantie was niet heel goed. Met al die uren turntraining heb ik gewoon niet meer zoveel tijd voor school.

Ik zit wel in een thuiswerkvrije klas, maar in de klas kan ik me niet zo goed concentreren op dingen die ik moet leren. Tenminste, vorig jaar niet. Het hangt heel erg van de leraar af of het stiltemoment dat we elk lesuur hebben, ook écht stil is en veel leraren lukt dat gewoonweg niet. Dan blijft het toch nog een beetje geroezemoes, nou en dan kan ik me dus niet concentreren en moet ik thuis nog weer aan het leren, terwijl ik met dertig uur training natuurlijk niet veel tijd over heb.

Ik wil graag havo doen, maar alleen als ik ook op dit niveau kan blijven turnen. En anders doe ik wel vmbo-tl of gemengd of kader. Mijn ouders zijn het daar niet zo mee eens. Die vinden opleiding belangrijk, vooral ook voor later. Pfff, nou, later duurt nog zó lang en ik leef nu, dus.

Het was leuk om iedereen weer te zien. Mijn beste schoolvriendinnen, Anne Lynn, Myrthe en Tirza.

We omhelsden elkaar en deden meteen de yell van voor de vakantie. 'Dit is onze nieuwe yell, vriendinnen 4ever weet dat wel!'

Myrthe

Anne Lynn

Iedereen holde door de klas om een goede plaats te vinden. Anne Lynn en ik kwamen bijna achteraan in de rij bij de deur terecht. Lekker plekkie.

Toen iedereen na veel geharrewar eindelijk zat, zwaaide de deur open en er kwam een heel mooie man binnen.

Tirza

'Wauwie,' fluisterde Anne Lynn. 'Very goodlooking man! Wat een stuk! Wat een dude! Wat een lekker ding! Hoe oud denk je, Fleur?'

'Weet ik dat! Twintig, dertig?'

'Mooi istie hè?'

Ik knikte.

Ik zag dat Quina, Mauve, Anais en Robinetta druk aan het praten waren en het onderwerp van hun gesprek was overduidelijk.

Het stuk stelde zich voor als Pascal Durink en zei dat hij onze mentor voor komend jaar zou zijn. Hij vertelde dat hij Nederlands gaf en dat hij wilde dat we dit jaar veel zouden lezen.

'Ik ben dol op lezen,' zei Quina.

Quina

'Ja, hoor!' Anne Lynns stem klonk een beetje honend. 'Tuurlijk.'

'Het is zo!' reageerde Quina snibbig.

'Welk boek raad je ons aan?' vroeg Anaïs.

Maar haar vraag bleef onbeantwoord, want Pepijn leidde de aandacht af.

'Ik haat lezen!' schreeuwde hij. 'Waarom moet dat?'

'Ten eerste omdat lezen goed is voor je taalontwikkeling en ten tweede omdat lezen je wereld groter maakt,' zei Pascal rustig. 'En, om nu meteen maar even héél duidelijk te zijn: als je iets wilt zeggen, dan steek je je vinger op!'

'Ik hoef geen grotere wereld,' mokte Pepijn. 'Daar word ik toch alleen maar te druk van.'

'Pepijn, is er iets met je vinger?'

'Hoezo?' vroeg Pepijn verbaasd.

'Omdat je hem niet opsteekt.'

'De jeweetwel van Pepijn, is ook nog dit jaar wat te klein!' rijmde een van de jongens.

Er werd onderdrukt gegiecheld.

Pepijn werd razend en vloog omhoog van zijn stoel, klaar om de jongen aan te vliegen.

'Wat ontzettend flauw,' begon Quina, 'om zoiets te zeggen.'

'Hahaha, mag ik even lachen,' begon Tara. 'Jij…'

Met drie grote stappen stond Pascal naast Pepijn en legde zijn hand op diens schouder. 'Kalmeer!'

Als een pudding zakte Pepijn in elkaar.

'En nu houdt iedereen zijn mond!' Pascal was weer voor de klas gaan staan. Zijn stem klonk zo streng, dat ik opeens zeker wist dat hij heel goed orde zou kunnen houden, ondanks het feit dat hij nog best jong was.

'Wat is dit voor een manier van doen? Hoe zit dat met de gedragsregels van deze klas?'

'Die waren we even vergeten!' zei Sem.

'Ik dacht ook al… Jullie mentor van vorig jaar vertelde me dat jullie samen gedragsregels hadden opgesteld en dat jullie je daar redelijk aan hielden. Ik wil graag dat jullie dat dit jaar weer doen. Afgesproken?'

We knikten.

'Ze zei ook dat jullie een drukke klas zijn, maar wel gezellig. Klopt dat?'

Weer knikten we.

'Dan nodig ik jullie binnenkort een keer een vrijdagavond uit om bij mij iets te komen drinken en een filmpje te kijken.'

'De hele klas?' kwam Quina verbaasd.

'Ze dacht zeker zij alleen,' siste Anne Lynn in mijn oor.

'Vet! Cool! Chill!' Van alle kanten klonken enthousiaste kreten.

'Op die manier kunnen jullie mij en ik jullie wat beter leren kennen en het is meteen een goed begin van jullie tweede jaar op deze school.'

Daarna deelde hij de lesroosters uit en daarna gaf hij ons een klein kaartje met daarop de gedragsregels van onze klas.

'En nu wegwezen! Nog even genieten van je laatste vrije middag. Morgenochtend het eerste uur heb ik jullie weer. Zorg dat je uitgeslapen bent, want zoals jullie natuurlijk wel weten: Nederlands is het belangrijkste vak van de hele school!'

'Echt niet!' riepen een paar kinderen. 'Nederlands kennen we allang.'

Pascal lachte. 'Jullie zullen snel genoeg merken dat dát niet waar is.'

Donderdag 26 augustus

Vandaag ben ik jarig! Dertien jaar ben ik geworden. Papa en mama waren gisteravond al gekomen en hebben een nachtje hier gelogeerd. Charlie mocht in haar mand op mijn kamer slapen en toen ik vanochtend wakker werd, lag ze prinsheerlijk op het voeteneind van mijn bed. Toen ze zag dat ik wakker was, begon ze te kwispelen, sprong boven op me en likte me uitgebreid over mijn neus. Mijn eerste verjaardagsknuffel!

Oma had een heerlijk verjaardagsontbijtje klaargemaakt met broodjes en croissantjes. Echt zó lekker!

Van papa en mama kreeg ik een nieuwe mobiel. Ik wilde al heeeel lang, vanaf groep 8, een nieuwe maar dat vonden papa en mama grote onzin. Ze snappen gewoon niet dat het zó cool is om een smartphone te hebben. Toch kreeg ik er nu dus een en ik was superblij.

Van oma kreeg ik een mooi hoesje eromheen en vijftig euro om zelf iets leuks uit te zoeken.

En toen was er nog een pakje. 'Van Charlie,' zei
mama. Een klein zacht pakje. Nieuwsgierig maakte
ik het papier los. Wauwie! Het was het waanzinnig
mooie turnpakje dat ik bij een kraampje op het NK al had zien
hangen, knalroze glittervelours met zilveren stukken erop.

Mama had gezegd dat ik turnpakjes genoeg had
en dat ze niet altijd maar alles kon kopen wat
ik graag wilde. En nu heb ik het toch gekregen! Super!

Op school feliciteerden alle kinderen uit de klas
me. Onder Nederlands vroeg ik aan Pascal of ik
mocht trakteren. Vorig schooljaar hadden veel kinderen op die
manier een beetje hun verjaardag op school gevierd en alhoewel ik eerst had gedacht dat dat zó basisschool was, vond ik
het eigenlijk toch ook wel heel leuk. Minder leuk vond ik dat
Pascal zijn armen om me heen sloeg en me op beide wangen
zoende. Nou ja, ook wel weer een béétje leuk.
Iemand als Quina zou dat natuurlijk fantastisch vinden, maar
ik voelde me best een ietsiepietsie opgelaten, helemaal toen
een paar jongens begonnen te fluiten.
'Dat is toch een ongewenste intimiteit?' riep Anne Lynn.
'Welnee,' zei Pascal. 'Dat is een felicitatie! En bij een felicitatie
hoort een zoen.'
'Doe je dat altijd?' wilde Myrthe weten.
'Altijd!' Pascal lachte.
Een beetje verward liep ik langs de tafels om iedereen een mi-
nimarsje te presenteren.

's Avonds na de training gingen papa, mama, oma
en ik uit eten bij de pizzeria. We zaten nog maar
net of Tirza, Myrthe en Anne Lynn kwamen bin-

nen. En daarna kwamen de meiden van turnen gevolgd door Hans en Alma. Papa en mama hadden hen uitgenodigd. Wat een onwijs gave verrassing!

'Kon Sying niet?' vroeg ik.

'Ze mocht niet van haar moeder,' zei Evi. 'Die zei dat pizza het aller-, aller-, allerongezondste eten is, dat er bestaat.'

'Een beetje gelijk heeft ze wel,' zei Alma, 'maar voor een keertje mag dat best.'

'Ik weet eigenlijk niet eens of ik wel een hele pizza op kan,' kwam Chrisje een beetje bedenkelijk.

'Ik wil er wel een met je delen,' stelde ik voor.

En toen wilden alle meiden een pizza delen.

'Volgens mij is Syings moeder echt waanzinnig streng,' zei Juno. 'Met trainen, met eten, echt met alles. Belachelijk, dat ze niet mee mag, alleen omdat we pizza gaan eten. Dat slaat toch nergens op!?'

'Ze is mager genoeg,' meende Evi.

'Volgens mij krijgt ze op deze manier echt anorexia. Haar moeder is ook al zo idioot dun.' Britt trok de kaart naar zich toe om een lekkere pizza uit te zoeken.

Het werd nog een heel geharrewar om twee aan twee een pizza te bestellen, maar uiteindelijk lukte het toch.

Toen ons drinken er was, proostte iedereen op mij en er waren ook nog cadeautjes. Nagellakjes, lippenstift, armbandje en een heel leuk kettinkje dat ik meteen omdeed. Ik voelde even aan mijn vriendschapskettinkje van Mirte.

Het leek wel of Britt gedachten kon lezen, want ze vroeg: 'Waarom is Mirte er eigenlijk niet? Vorig jaar was ze er wel bij. Waarom nu niet?'

'Gewoon niet.'

'Hebben jullie ruzie?'

'Nee, niet.' Ik dacht aan de krabbel op mijn Hyves. Ze had me gefeliciteerd, dat wel, maar daar hield het dan ook mee op. In de weekenden dat ik thuis was, hadden we elkaar niet gezien. Ik had haar wel een paar keer op msn gesproken, maar ik had natuurlijk heel weinig tijd en op de tijden dat ik wel kon, kon zij weer niet. Echt waardeloos. Eigenlijk had ik een beetje het gevoel dat Mirte mij ontliep. Ja, want vorig jaar kon ze altijd wel op de momenten dat ik tijd had.

'Zijn jullie dan geen best friends forever meer?' vroeg Britt.

'Joh, Britt,' Juno stootte haar aan, 'da's toch geen leuk onderwerp voor Fleur, dat zie je toch?'

'Ik heb dat ook gehad,' ging Britt verder. 'Vorig jaar, toen ik net in de brugklas zat, weet je nog, Fleur?'

Óf ik dat nog wist. Daarom had ze een poosje zo stom tegen mij gedaan, omdat haar beste vriendin van de basisschool meteen nadat Britt weg was, een andere beste vriendin had genomen.

'Ja, ik weet het nog,' zei ik. 'Dat was echt waardeloos!'

'Nou.' Britt knikte.

'Mirte en ik hebben in Turkije ruzie gehad.' Ik zweeg.

'Waarover dan?' wilde Britt weten. 'Jullie waren zeker verliefd op dezelfde jongen,' bedacht ze, toen ik niet antwoordde.

'Nee, dat niet. Maar ik wil er liever niet over praten, eigenlijk.'

'Misschien kunnen we helpen,' bood Britt aan.

'Nee,' zei ik beslist. 'Ik wil lol hebben. Evi, heb jij al iets gehoord van je vakantievriendje?'

'Ja. We whatsappen elke dag en binnenkort spreken we ergens af. Gaaf hè?'

Natuurlijk vond iedereen het superleuk voor haar.

En toen vertelde ik ineens over Jens.

'Wauw, die leuke jongen die een jaar geleden meedeed aan popstars? Heb je die ontmoet?' Tirza was zó enthousiast dat we allemaal moesten lachen.

'Dat was echt de allerleukste jongen ooit,' jubelde Tirza. 'Heb je nu verkering met hem?'

'Ehm, nee, dat niet.'

'Wil je wel verkering met hem?' wilde Anne Lynn weten.

'Misschien.' Ik vertelde dat hij me op Hyves had uitgenodigd, maar dat ik hem nog niet had geaccepteerd.

'Moet je wel doen, hoor,' zei Britt. 'Zo'n leuke jongen moet je niet laten lopen.'

'Nee, die moet je laten rennen!' grapte Juno.

We lachten.

'Hebben jullie al gezoend?' vroeg Evi.

'Ehm,' zei ik.

'Dus niet!' Evi nam een slok van haar cola. 'Weet je eigenlijk wel hoe je moet zoenen,' vroeg ze zakelijk.

'Jij wel dan?' informeerde Juno. 'Hebben jullie al gezoend?'

Evi knikte.

'En? Was het lekker?'

Evi maakte een prop van haar servet en gooide hem naar Juno's hoofd.

'Had je geen last van je beugel?' wilde ik weten.

Evi trok een gek gezicht. 'Daar ben jij zeker bang voor, beugel-bekkie?'

Toen kwamen de pizza's met de extra borden en het extra bestek. Het was nog een heel gehannes voor we ze goed verdeeld hadden.

Daarna praatten we verder over zoenen. Wie er al wel en wie er nog niet echt gezoend hadden. Het was maar goed dat de volwassenen aan de andere kant van de tafel in een druk gesprek verwikkeld waren, want we zeiden echt de gekste dingen.

Ik vertelde over de tongzoentips die we vorig jaar bedacht hadden en die we toen stiekem op het whiteboard in de leraren-

kamer hadden geschreven. Anne Lynn, Myrthe en Tirza grijns-
den en de turnmeiden gierden het uit.
'Alsof leraren wat aan die tips hebben,' giechelde Britt.
'Dat weet je maar nooit,' lachte Evi. 'Vertel eens op! Wat waren
die tips?'
'Die heb jij toch niet meer nodig,' plaagde Juno.
'Ik wil ff controleren of ik het goed heb gedaan,' zei Evi droog.
Opnieuw gierden we het uit.
'Zo te horen hebben jullie het wel gezellig,' zei mama. Ze was
opgestaan en naar ons toegelopen.
We knikten.
'Geheimpjes zeker,' zei mama, toen we haar een beetje afwach-
tend aankeken.
Weer knikten we.
'Nou, dan ga ik maar gauw weer naar mijn eigen plaats.'
Mama streek even over mijn hoofd. 'Kunnen jullie weer verder
kletsen. Geniet ervan, lieverd.'
'Jij hebt echt een onwijs leuke moeder,' zei Myrthe.
'Vind ik ook,' zei ik.
'Toe,' drong Evi aan, 'vertel nou over die tongzoentips.'
'Oké, dan,' gaf ik toe. 'Je moet eerst je lippen een beetje vochtig
maken en dan…'
'Wacht.' Evi haalde een pen tevoorschijn. 'Ik schrijf ze op, hier
op mijn servet.'
En toen wilden alle meiden ze opschrijven, op hun servet.
Ik dicteerde ze, want ik kende het lijstje nog wel zo'n beetje uit
mijn hoofd en als ik me vergiste vulde Tirza het aan. Iedereen
zat zachtjes te grinniken.
'Zo dan?' Evi duwde me het servetje onder
mijn neus.

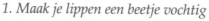

Tips voor de perfecte tongzoen
1. *Maak je lippen een beetje vochtig*
2. *Houd je hoofd wat scheef*
3. *Geef eerst een gewone zoen op de lippen*
4. *Open vervolgens je mond*
5. *Maak rondjes met je tong*

'Helemaal goed!' prees ik.

'En Evi,' wilde Chrisje weten, 'hád je de perfecte tongzoen?'

'Ik geloof het wel.' Evi trok het servetje weer naar zich toe. 'Ja, ik ben er bijna zeker van dat ik het zo gedaan heb. Ik twijfel alleen nog een beetje over de volgorde van 3 en 4.

Ik herinnerde me opeens wat er op dat whiteboard over 3 en 4 nog had bijgestaan en proestte het uit. Iedereen staarde me een beetje verdwaasd aan.

'Wat is er zo leuk aan?' vroeg Evi een beetje gepikeerd.

'Zie je het voor je?' hikte ik. 'Jullie staan rustig te praten en dan kom jij met een opengesperde muil op die jongen af. Wat zal hij geschrokken zijn.'

De andere meiden begonnen nu ook te lachen.

'Hij dacht vast dat je hem op wilde vreten!' Ik kon bijna niet uit mijn woorden komen van het lachen.

'Ja, hij was inderdaad ook wel wat angstig,' grapte Evi. 'Ik snapte het al niet helemaal.'

Iedereen schaterde.

'Leuk hoor,' zei Evi, toen we uitgelachen waren. 'Errug leuk! Beetje grapjes zitten te maken over mijn vriendje. Maarreh… Fleur, ik had dus géén last van mijn beugel! Dus je kunt met een gerust hart je gang gaan.'

'Jij misschien niet, maar hij dan?' vroeg Britt.

En zo grapten en geinden we door.

Ik had echt een waanzinnig gave avond met de liefste vriendinnen ever!
Alleen jammer dat mijn Mirte er niet was!

Vlak voor ik in bed wilde kruipen, startte ik nog even mijn laptop op. In mijn mailbox zag ik dat Jens mij op Hyves een felicitatie had gestuurd.

Heey lieve Fleur,
Gefeliciteerd met je verjaardag.
Ik wilde dat ik de tijd terug kon zetten.
En samen met jou die mooie dagen,
dat wij aan het zwembad lagen,
opnieuw beleven.
Ik zou je niet meer laten gaan
Want dat was niet oké,
Love you
Jens

Ik las zijn krabbel nog een keer en nog een keer en nog een keer. Wat een lieve krabbel. Vet schattig dat hij me op deze manier liet weten dat hij spijt had. Ik ging naar zijn vriendenuitnodiging, klikte op accepteren en stuurde hem een kort krabbeltje terug.
Hallo Jens,
Ik wilde ook dat ik weer met jou aan het zwembad lag.
xxxFleur
Toen bekeek ik de felicitatiekrabbel van Mirte nog een keer. *Gefeliciteerd, lieve Fleur* stond er en ze had er een heleboel smileys bijgedaan, zodat de krabbel meer dan mijn halve profiel in beslag nam. Gekke Mirte. Ineens kreeg mijn verlangen om haar te zien de overhand en ik krabbelde haar terug: *Zullen we zaterdag shoppen? xxxFleur*

Vrijdag 27 augustus

Vandaag krabbelde Mirte me terug dat ze helaas zaterdag niet kon shoppen. Ze had er een heel verhaal bij over haar oma die jarig was en dat ze daar het weekend naar toe ging met haar ouders. Ze had geen zin en het was zo saai, maar ja.

Ook van Jens was er een nieuwe krabbel, waarin hij voorstelde om elkaar binnenkort te zien.

Lieve Fleur

De liefde is rood.

De afstand tussen ons zó groot.

Maar dat is geen echt probleem,

als jij het wilt, kom ik meteen.

Ik denk aan jou de hele dag

aan je leuke lieve lach.

Love you

Jens

Ik krabbelde hem terug dat ik hem ook wil zien, maar dat ik dertig uur in de week turn en niet veel tijd over heb. Misschien in de herfstvakantie…

Daarna ging ik een twitteraccount aanmaken. Want met mijn nieuwe telefoon kan ik twitteren. Hoe cool is dat!?

Als twitternaam nam ik @fleurturnt. Ik zocht tussen mijn foto's naar een leuke profielfoto en koos er een waar ik de reesprong op balk doe. In het bio'tje schreef ik dat ik turn en dat Charlie mijn schatje is.

Vervolgens stuurde ik iedereen uit mijn adressenboek een bericht dat ik twitter had aangemaakt.

Ik ben van plan elke dag iets te twitteren. Een soort twitter-tweet van de dag, over iets wat ik belangrijk vind, waar ik heel erg blij mee ben of juist niet, iets wat me bezighoudt of waar ik tegenop zie of… Nou ja, ik zie nog wel.

Ik verstuurde mijn eerste tweet.

🐦 @fleurturnt
Superleuke verjaardag gehad. Smartphone gekregen en twitter aangemaakt.

Maandag 6 september

Vanochtend had ik voor schooltijd training. Syings moeder was er ook en ze maakte knetterende ruzie met Hans. Hij heeft namelijk een aantal elementen uit Syings oefeningen geschrapt.

'Als je een senior turnster was, zouden deze elementen in je oefeningen niet misstaan, maar dat ben je nog lang niet.'
Sying had al gezegd dat haar moeder dat niet zou pikken.
'Niet jouw moeder, maar ik ben jouw trainer,' had Hans gezegd en verder had hij er geen woord meer aan vuil gemaakt.
Maar nu stond Syings moeder dus in de zaal en ze zag er niet uit alsof ze zich zou laten afschepen.
'Jullie omkleden,' zei Hans tegen ons, 'en Sying, jij ook!'
'Ik zie niet in waarom ze er niet bij kan zijn,' begon Syings moeder.
'Omdat ik haar trainer ben en dat niet wil!' zei Hans.
Sying schoot snel langs ons heen de kleedkamer in. Toen wij binnenkwamen had zij haar turnpakje al bijna aan.
Ik zag dat Sying bleek was. Eigenlijk had ze niet veel contact met ons. Ze trainde keihard en maakte bijna nooit een gezellig praatje. En ja, wij dus ook niet. Opeens had ik zielsveel medelijden met haar. Ja, je zult maar zo'n fanatieke moeder hebben. Echt niet leuk.
'Pfff, nou, ik zou zoiets niet pikken van mijn moeder,' kwam Britt. 'Kom op zeg!'

'Jouw moeder zou zoiets ook niet doen,' zei ik, 'dus dat kun je gemakkelijk zeggen.'

'Wat vind jij zelf eigenlijk?' Nieuwsgierig keek ik Sying aan. 'Wie heeft gelijk: Hans of je moeder?'

'Mijn moeder natuurlijk!' Het klonk bijna verontwaardigd. 'Mijn moeder weet wat goed voor me is. Ik moet wel hard werken, maar dat is goed. In China moeten alle kinderen hard werken. Heel hard werken.'

'Hoe bedoel je?' vroeg ik.

'In China krijgen de kinderen bijvoorbeeld elke dag heel veel huiswerk en hier bijna niks.'

'Hoezo bijna niks?' vroeg Evi een beetje verontwaardigd. 'Ik ben elke dag zeker meer dan een uur met mijn huiswerk bezig. Jij niet?'

'Nee.'

'Welke school doe jij dan?' wilde Evi weten.

'Gymnasium. Ik zit in de tweede klas.'

'Maar dan heb je toch stikveel huiswerk elke dag? Gymnasium is de allermoeilijkste school die er is,' zei ik.

'Een school voor echte nerds,' merkte Britt op.

'Ik kan bijna al mijn maakwerk in de les afkrijgen,' zei Sying. 'En dan hoef ik thuis nog maar een beetje te leren. Hooguit een half uurtje. Weet je, in China hebben kinderen van mijn leeftijd minstens drie uur huiswerk per dag. En als ze jonger zijn twee uur.'

'Echt?' vroeg Juno.

Sying knikte.

'Maar vinden die kinderen dat dan niet erg?' vroeg ik.

'Erg?' vroeg Sying verbaasd. 'Daar wordt niet naar gevraagd. Je moet toch iets bereiken in het leven?'

'Ehm, ja, misschien, daar denk ik nooit zo over na,' zei ik.

'Daarom doen in China de ouders dat voor hun kinderen,' zei Sying.

Toen we in de turnzaal kwamen, was Syings moeder weg.

'Je moeder en ik hebben afgesproken dat je je aan mijn instructies houdt,' zei Hans tegen Sying.

Sying boog haar hoofd.

'Ik heb graag dat je me aankijkt als ik tegen je praat,' zei Hans.

Sying hief haar hoofd en keek Hans zwijgend aan.

'Oké?' vroeg Hans een beetje ongeduldig.

'Oké,' zei Sying zacht.

Ik keek naar haar gezicht en vroeg me af of het verbeelding was dat ik aan haar wimpers een traan zag glinsteren.

Tijdens de training bleek dat ze toch wel overstuur was, want ze had op de balk een paar vreselijke wiebels en bij haar brugoefening greep ze een keer mis waardoor ze gemeen viel.

Britt stootte me aan. 'Zo moet ze vooral doorgaan,' fluisterde ze. 'Meer kans voor ons.'

En alhoewel ik het heel, heel, heel diep in mijn hart met Britt eens was (shame, shame, shame), bleef ik toch vooral medelijden met Sying houden.

 @fleurturnt
Supergoede training gehad. Alles lukte.

Woensdag 15 september

Toen we vandaag op de training kwamen, hadden we zoiets idioots. Echt he-le-maal belachelijk! Hans zei dat we gewogen moesten worden. Gewogen notabene!

'Nee!'

'Dat wil ik niet!'

'Dacht het niet!'

We riepen allemaal door elkaar.

Maar Hans was onverbiddelijk. Hij haalde uit zijn tas een weegschaal en zette die op de grond. Daarna haalde hij een meetlat uit zijn tas. 'Jullie weten allemaal dat extra gewicht jullie belemmert. Elke kilo teveel moet je meetorsen bij je oefening en daar wordt ie niet beter van. Vandaar dat ik jullie regelmatig zal wegen.'

We vonden het allemaal ontzettend stom dat we hier gewogen moesten worden.

Britt was als eerste aan de beurt. Ze woog 49 kilo en was een meter vierenzestig.

'Wat gek,' zei ze, 'toen ik vorig jaar voor het artikel in de krant *Bruggers sjouwen zich een breuk* gemeten werd, was ik twee centimeter groter!'

'Dan hadden ze geen goede meetlat,' meende Hans, 'want je bent toch echt een meter vierenzestig.'

'Nu jij, Fleur.'

Ik ging met frisse tegenzin op de weegschaal staan. De wijzer kwam precies op de vijftig kilo.

'En je lengte.' Hans zette de meetlat tegen de muur en ik ging er tegenaan staan. Ook ik was twee centimeter gekrompen. 'Een meter zesenzestig.'

'Niet langer worden, hoor,' grapte Hans tegen Britt en mij. 'Ook veel lengte is niet echt handig.'

'Duh, daar kan je toch niets aan doen,' zei Britt een beetje verontwaardigd.

'Is dat zo?' vroeg Hans en hij knipoogde naar mij. 'In elk geval is je gewicht wel oké, alhoewel een paar kilootjes minder geen kwaad kunnen.'

Alle meiden werden gewogen en gemeten. Niemand was te zwaar, maar er waren meer meiden die beter ietsjes minder konden wegen.

Sying niet. Zij woog tweeënveertig kilo en was een meter zesenvijftig.

Hans knikte goedkeurend. 'Prima,' zei hij. 'Prima lengte en gewicht om optimaal te kunnen turnen.'

Sying knikte. 'Ik ben op dieet,' zei ze. 'Mijn moeder wil niet dat ik zwaarder word. Ze zegt dat dat mijn turnprestaties niet ten goede komt.'

Nu fronste Hans zijn wenkbrauwen. 'Op dieet? Dat is met jouw lengte en gewicht toch niet nodig?'

'Mijn moeder zorgt goed voor mij. Ik heb echt geen ondergewicht, hoor. Mijn moeder helpt mij bij alles. Zonder haar zal ik de top niet bereiken.'

Hans kuchte.

Ik keek naar het superslanke meisje. Logisch dat ze zo goed was. Ze woog acht kilo minder dan ik. Dat merkte je echt wel op de balk. Ik besloot meteen een paar kilo af te vallen.

'Nou, ik vind dat je behoorlijk mager bent,' merkte Juno op.

'Je hebt toch geen anorexia?' vroeg Britt.

'Tuurlijk niet, dat zou mijn moeder nooit goedvinden,' zei Sying.

'Pfff, denk je misschien dat andere moeders het wel goedvinden dat hun dochters anorexia hebben?' katte Britt. 'Anorexia is iets wat je overkomt en pas jij maar een beetje op, want je bent echt belachelijk dun.'

'Je bent jaloers,' zei Sying, 'omdat ik bijna tien kilo lichter ben dan jij.'

'Helemaal niet!' stoof Britt op. 'En je bent trouwens maar zeven kilo lichter dan ik. Kun je niet rekenen?'

'Thin is going to win!' Sying glimlachte liefjes.

En toen praatten we allemaal door elkaar over te dik zijn en lijnen, totdat Hans ons tot de orde riep.

'Niemand van jullie is té dik. Denk er goed om, dat je met onverantwoord afvallen niks bereikt. Laat chips, snoep, snacks en zoete frisdrank staan, eet voldoende groente en fruit en je bent op de goede weg. En nu aan het werk, meiden.'

's Avonds bij het avondeten probeerde ik zo min mogelijk te eten, maar dat viel niet mee want oma had heerlijk gekookt en ook gezond.

'Niet lekker?' vroeg oma, toen ze zag hoe weinig ik had opgeschept.

'Jawel, hoor.' Ik nam een hap. 'Maar ik krijg een beetje een buikje, dus daarom…'

Oma schoot in de lach. 'Vertel me eens, waar zit dat buikje dan?'

'Op m'n kont, nou goed!' Het schoot er zomaar uit.

'Niet zo brutaal, dame.' Oma's stem klonk streng.

Ik haalde mijn schouders op.

'Wat heb jij?' Oma keek me van over haar bril een beetje fronsend aan.

'Niks,' zei ik geïrriteerd.

'Je bent toch niet aan het lijnen hè?' vroeg oma opeens gealarmeerd.

'Nee, alleen mijn buikje…'

'Laat zien dat buikje!' beval oma.

Ik ging staan en schoof mijn shirt een stukje omhoog.

'Prachtige, platte buik,' zei oma beslist, 'platter kan niet.'

'Kijk dan!' Met twee handen pakte ik mijn vel vast. 'Vetrolletjes.'

'Lieverd, met jouw zware training moet je goed eten. Heus, anders word je ziek.' Ze schepte me nog wat van de groenteschotel op. 'In groenten zitten weinig calorieën.'

Nou ja, uiteindelijk at ik met smaak mijn bord leeg. Dan eet ik overdag wel minder, als oma het niet ziet.

Na het eten ruimde ik de tafel af en ging oma achter de computer. 'Kom eens hier, Fleur,' zei ze, toen ik klaar was. 'Kijk, op deze site kun je je BMI berekenen.'

'Mijn BM watte?' vroeg ik.

'Je Body Mass Index,' legde oma uit. 'Dat is een getal dat aangeeft of je een gezond gewicht hebt of niet. Vertel me je lengte en je gewicht maar eens.'

Oma toetste achtereenvolgens 166 cm en 50 kilo in en drukte op berekenen. Nieuwsgierig keek ik toe. Dit verscheen op het beeldscherm.

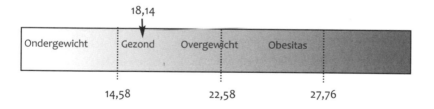

BMI: 18.14
Gezond gewicht

'Zie je,' zei oma. 'Je moet echt niet afvallen, want dan heb je straks ondergewicht en dat is zo ongezond als het maar kan.

Dan krijg je een slechte conditie en word je snel moe, je hebt grotere kans op botbreuken en bent ook nog eens vatbaarder voor allerlei ziektes.'

'Maar één of twee kilo kan toch wel,' protesteerde ik. 'Ga jij maar eens met in elke hand een pak suiker op de balk staan.' Oma schoot in de lach, maar was ook meteen weer serieus.

'Fleur, het is niet verstandig. Je bent én in de groei én je bedrijft topsport.'

'Nou goed, dan niet,' zei ik onwillig. 'Maar dan moet je niet zeuren als ik het NK niet haal!'

'Kom op, Fleur, wat is er met je aan de hand?'

'Helemaal niks.'

'Helemaal niks?' Oma keek mij vragend aan.

'Dat zeg ik toch!' Ik snapte niet waarom ik me zo geïrriteerd voelde. 'Ik ga naar mijn kamer.'

'Doe dat maar,' zei oma vriendelijk. 'Je bent moe, denk ik.'

Eenmaal op mijn kamer voelde ik me nog steeds boos, maar ook nog schuldig omdat ik oma had afgesnauwd.

@fleurturnt
Thin is going to win! Wie heeft er tips om af te vallen?

Vrijdag 24 september

Vandaag hadden we een drama bij Duits. Onze docent, Kees Wobbels, kan dus echt geen orde houden, maar hij doet net alsof dat geen enkel probleem is. Ik bedoel, hij blijft vriendelijk lachen ook als kinderen heel brutaal zijn, zoals Quina en haar groepje. Die begonnen hem in de tweede les al Woppie te noemen.

Iedereen lachen natuurlijk en het hele lesuur was het Woppie voor en Woppie na. Woppie zelf deed net alsof hij het ook gewoon leuk vond. Hij deed zelfs min of meer mee door onze namen ook te vervormen. Quinie, Mauvie, Catie, Myrthie en mij noemde hij Fleurie. Zó dom! Maar ja.

We hadden het laatste uur Duits. Het laatste uur is sowieso al heel onrustig en op vrijdag is het nog erger. Woppie legde heel langdurig het onderwerp en de persoonsvorm uit, maar niemand luisterde. Dit hadden we bij Nederlands ook al uitgebreid gehad namelijk. Soms kon hij zich bijna niet verstaanbaar maken en dan riep hij 'Ruhe bitte! Ruhe! Ruhe!' Een keer stampte hij zelfs met zijn voet op de grond, wat een lachsalvo tot gevolg had. Wat hij ook deed en wat hij ook zei, het hielp natuurlijk allemaal geen ene moer.

Toen we aan het werk moesten, stak Quina haar vinger op. 'Ik snap het niet, Wopperd!'

Wopperd! Iedereen brullen natuurlijk en Wopperd roepen.

Toen werd hij ineens he-le-maal hysterisch. Hij werd knalrood en begon te schreeuwen dat ze dan maar beter had moeten luisteren.

'Ja, dat deed ik ook, maar het was zo'n lawaai,' zei Quina verontwaardigd.

Woppie werd nog roder en hapte naar adem, helemaal toen Mauve en Robinetta haar bijvielen. Hij raakte echt helemaal buiten zichzelf van woede. Hij brak het krijtje dat hij in zijn hand had doormidden en smeet het zo de klas in.

Ongelukkigerwijs raakte een van de twee stukjes Romy vol in het gezicht. Romy, uitgerekend het meisje dat echt nooit wat deed. Samen met haar hartsvriendin Renée was ze altijd serieus aan het werk. Het deed vast gemeen zeer, want ze barstte in tranen uit. Even was het doodstil, maar toen, als één man, keerde de klas zich tegen Woppie.

'Gemeen!'

'Kan echt niet!'

'Waar slaat dit op?'

'Loser!'

Iedereen schreeuwde door elkaar en het was een verschrikkelijke puinzooi. Woppie zelf was nog steeds knalrood.

'Ruhe, bitte Ruhe!' schreeuwde hij, maar hij kwam er nauwelijks bovenuit.

Toen ging de deur open en kwam meneer Ferwerda, onze docent wiskunde, binnen. 'Kan het wat stiller? Mijn leerlingen maken hiernaast een toets en kunnen zich zo niet concentreren.'

Het werd zo stil dat je Woppie bij wijze van spreken kon horen ademhalen. Af en toe hoorde je een ingehouden snikgeluidje van Romy.

'Ehm, ja, sorry, natuurlijk, ik, ik, ehm...' stotterde Woppie.

'Jongens, nu wat rustiger graag!'

Ik vond het echt zielig voor hem. Wat een afgang.

Meneer Ferwerda keek onze klas rond. 'Ik waarschuw jullie,' zei hij dreigend. 'Als ik jullie nog een keer tekeer hoor gaan, dan is het niet best.'

Onder een doodse stilte verliet hij het lokaal.

Woppie kuchte een keer en nog een keer. Toen liep hij naar Romy toe. 'Het spijt me van dat krijtje,' zei hij. 'Dat had ik nooit mogen gooien natuurlijk! Nogmaals mijn excuses. Ga maar even wat water drinken.'

Romy en Renée stonden op. Ik zag dat Romy een knalrode plek op haar wang had.

De beide meisjes verlieten het lokaal. Woppie schreef de opdrachten die we moesten maken op het bord. 'Ga deze maar maken,' zei hij, 'en als je iets niet snapt, kom je het vragen.'

Hij ging achter zijn bureau zitten. Door deze onverwachte

wending ging de hele klas nu kalm aan het werk. Hier en daar werd zachtjes overlegd, precies zoals in de gedragsregels stond.

Na de les stonden we in de fietsenkelder na te praten over Woppie. De meeste kinderen vonden het heel erg oké dat hij zijn excuses had aangeboden.

Alleen het groepje van Quina was verontwaardigd. 'Je moet het gaan zeggen, tegen Pascal,' zei ze tegen Romy. 'Zal ik met je meegaan?'

'Wat ben je toch ook een relwijf,' zei Anne Lynn tegen haar. 'Weet je nog wel, met Boele? Die werd door jou ontslagen.'

'Leraren mogen leerlingen niet mishandelen!' zei Quina verontwaardigd. 'Dat wil ik gewoon melden!'

'Mishandelen? Noem je dit mishandelen? Je wilt gewoon interessant doen,' zei ik. 'Om indruk te maken op Pascal.'

Anne Lynn maakte kotsgeluiden. 'Ja, echt hè!'

'Zeg jij eens wat Romy,' zei Quina. 'Dit pik je toch niet?'

'Hij heeft zijn excuses aangeboden,' zei Romy.

'Nou, en?' vroeg Quina verbolgen. 'Dus je geeft iemand een hengst, je zegt sorry en het is allemaal weer oké? Dacht het niet.'

'Woppie gaf me geen hengst en het was echt per ongeluk,' zei Romy.

'Hij schrok zich helemaal kapot,' zei ik.

De anderen knikten.

'Nou, ik ga!' Romy pakte haar fiets en verliet samen met Renée de fietsenkelder.

'Jammer hè?' Tirza trok een gek gezicht tegen Quina. 'En trouwens, ik geloof niet dat Pascal op slettebakjes valt!'

'Je bent zelf een slettebak!' gilde Quina en ze deed een paar stappen in Tirza's richting.

Tirza deed geen stap terug. 'Wat wou je nou… slettebakje?' vroeg ze. 'Vechten?'

We konden allemaal zien dat Quina woedend was, maar ze durfde niks te doen, vooral omdat haar vriendinnen als drie zenuwachtige kippen bij elkaar bleven staan en haar niet bijvielen.

'Yeah, dikke bitchfight!' juichte Tara. 'Zet 'm op!'

Maar Quina en haar vriendinnen taaiden zo snel als ze konden af.

@fleurturnt
Woppie is toppie!

Dinsdag 5 oktober

Vanochtend stond ik om zeven uur in de turnzaal. Pfff, wel vroeg hoor, elke dag! Toen de wekker vanochtend om zes uur afliep was ik nog heel erg moe, maar na een warme douche kwam ik een beetje bij.

Oma had thee gezet en een ontbijtje gemaakt. Eigenlijk zou ik het ontbijt wel willen overslaan. Ik heb 's ochtends sowieso niet zoveel trek en dan spaar ik calorieën, maar daar hoef ik bij oma echt niet mee aan te komen. Die is net als mama als het op gezond eten aankomt. 'Het ontbijt is de belangrijkste maaltijd van de dag,' zeggen ze altijd.

Om zeven uur precies stapte ik de turnzaal binnen. Hans is echt streng. Als je een paar minuten te laat bent, dan krijg je al een uitbrander. Sying was al aan het oefenen en haar moeder stond in de deuropening te kijken.

Voor ouders is de turnzaal verboden terrein. Je mag alleen het eerste en het laatste kwartier van de les vanaf de gang kijken. Ik vond dat Sying het echt onwijs goed deed, maar haar moeder volgens mij niet. Ik zag het aan de frons op haar gezicht, maar ze zei niks. Dat mag ze niet van Hans.

Na de warming-up moest ik aan de brug de reus voorover oefenen en Hans stond erbij om mij te instrueren en te helpen. Het ging best goed, maar opeens gleed mijn hand van de hoge legger en was er geen houden meer aan. Ik vloog over de kop door de lucht en ik bereidde me voor op een pijnlijke val, maar toen voelde ik hoe Hans' hand zich om mijn voet sloot en met een redelijk zachte landing kwam ik op de achterkant van mijn schouders op de mat terecht. Niet op mijn hoofd gelukkig.

Hans zat meteen op zijn knieën naast me en de meiden drongen om ons heen.

'Gaat het?' vroeg Hans. 'Heb je ergens pijn? Je nek?'

'Nee, ik geloof het niet,' zei ik, toch wel een beetje verdwaasd. Ik bewoog voorzichtig mijn schouders een beetje. 'Nee, ik voel niks.'

Hans voelde aan mijn nek en drukte hier en daar voorzichtig. 'Geen pijn?'

'Nee,' zei ik.

'Oké, dan!' Hij strekte zijn hand naar me uit en trok me overeind. 'Nog een keer, dan maar.'

'Nog een keer? Nu meteen?'

Hans knikte. 'Later durf je misschien niet meer.'

Om eerlijk te zijn durfde ik nu ook al niet, maar ik verbeet me. Een beetje met de moed der wanhoop klom ik weer op de brug met ongelijke leggers en Hans nam zijn positie als helper weer in.

Ook de andere meiden gingen weer verder waarmee ze bezig waren geweest.

'Doe eerst maar een paar dingen die je al goed kunt,' zei Hans. 'Je moet eerst weer wat vertrouwen opbouwen.'

Ik deed de zolendraai een paar keer en daarna de reus achterover. Dat ging allemaal perfect.

'Oké, nu voorover,' zei Hans. 'Denk erom dat je je buik en rug op tijd aanspant.'

Ik probeerde me zo goed mogelijk te concentreren. Ik wilde dat Alma er was. Bij haar voelde ik me altijd beter, zelfverzekerder. Zij kon mij meestal over mijn angst heen praten.

Hans was ongeduldiger en had minder begrip voor mijn aarzelingen. Ik negeerde mijn angst zoveel als ik kon. Met de hulp van Hans ging mijn oefening goed, maar alleen kon ik het nog niet.

Gelukkig lukte de dubbele salto af dit keer wel. Ik kwam keurig met twee voeten naast elkaar op de mat en hoefde niet te verstappen om mijn evenwicht te bewaren.

'Genoeg voor nu.' Hans sprong op de grond. 'Morgen verder.'

Ik dronk een paar slokken water uit mijn flesje en begon met mijn vloeroefening. Die ging gelukkig al bijna helemaal vlekkeloos en dat gaf me mijn zelfvertrouwen terug.

Ik stond even uit te hijgen en zag vanuit mijn ooghoeken hoe Sying op de balk bezig was. De opsprong tot spagaatzit mocht ze van Hans niet doen, dus nu deed ze opsprong door een voorwaartse salto. Keer op keer nam ze een aanloop, sprong op de springplank, maakte de salto en kwam trefzeker tot staan op de balk. Die meid was echt zó goed!

Ik voel mezelf altijd een dikke olifant als ik naast haar sta. Ik probeer nog steeds wel minder te eten, maar ik heb altijd echt veel trek dus dat is heel moeilijk.

Bovendien hebben we dit jaar op school tussen de middag een

langere pauze dan vorig jaar. Dan gaan we met een heel aantal meiden uit de klas naar de super om daar lekkere dingen in te slaan. Saucijzenbroodjes, kaasbroodjes, frikadellen, chips en snoep. Heel veel snoep. En elke keer neem ik me voor om niks te kopen, maar als ik dus niks koop, dringen de anderen erop aan dat ik iets van hen neem. En zo eet ik bijna elke dag wel iets ongezonds.

Op mijn twittertweet *Wie heeft er tips om af te vallen*, hadden bijna al mijn vriendinnen gereageerd. Maar niet met tips helaas. Nee, ze hadden massaal getwitterd dat ik helemaal niet dik was en dat ik me niet aan moest stellen. Lekker makkelijk.

'Fleur, ga je nog aan het werk of hoe zit dat?' Hans' stem verstoorde mijn sombere snackgedachten.

Ik knikte en ging weer verder met het oefenen van mijn flikflak hele schroef.

@fleurturnt
Gevallen met turnen. Beetje bang nu. Weet zeker dat het beter lukt als ik paar kilootjes minder weeg.

Vrijdag 8 oktober

Vandaag hadden we de klassenavond bij Pascal en onze klas was de hele dag onrustig. Alle leraren mopperden op ons. Ze mopperen sowieso, omdat wij een erg drukke klas zijn, maar vandaag was het echt heel erg.

Bijna in elke les werd er wel iemand uitgestuurd.

Eerst had Pascal de klassenavond op 15 oktober willen doen, maar dat had veel protest opgeleverd omdat sommige kinderen dan al op herfstvakantie zouden zijn.

Quina en haar groepje hadden voorgesteld om te helpen bij het boodschappen doen en Pascal had dat een goed idee gevonden.

'Wat zal ze blij zijn,' had Anne Lynn snerend opgemerkt.

'Laat Pascal maar oppassen, straks luist ze hem er ook nog in,' had Myrthe gezegd.

'Waarin?' had Tara quasi onnozel gevraagd.

'Je weet toch nog wel, vorig jaar met Boele,' had Myrthe geantwoord.

'Nee, daar weet ik niks meer van,' had Tara geplaagd. 'Vertel eens!'

Natuurlijk wisten we allemaal nog heel goed wat er toen gebeurd was. Boele was vorig jaar onze docent science geweest en op een gegeven moment had hij de voortplanting moeten behandelen tot grote hilariteit van iedereen natuurlijk. Quina had er vervolgens op aangedrongen dat Boele het haar en Anais nog een keer apart zou uitleggen. En toen hij dat inderdaad deed, had ze haar beklag gedaan bij de brugklascoördinator en had Boele besloten om niet meer terug te komen.

'Gelukkig geeft Pascal gewoon Nederlands,' had ik gezegd.

'Nou, alsof dat helpt. Als Quina wil, zet ze hem zo een hak,' had Myrthe geschamperd.

'Mmm, nou Pascal is Boele niet,' had Tara nuchter opgemerkt.

'Nee, gelukkig niet,' hadden we allemaal verzucht.

In elk geval, om acht uur precies zette oma me af bij Pascal. Het was natuurlijk wel jammer dat we nu pas morgen naar huis konden, maar dat had ik toch wel over voor een klassenavond.

Eenmaal binnen bij Pascal keek ik mijn ogen uit. Wat een mooi huis. Het huis was oud, maar heel strak en modern ingericht, met veel zwart en wit.

Quina en haar clubje deden net alsof zij er ook woonden. Ze liepen met hapjes van de keuken naar de kamer en zetten die op een grote tafel. Er was natuurlijk ook frisdrank.

'Ik zie geen bier!' zei Pepijn.

'Klopt,' zei Pascal rustig.

'Maar ik drink bier,' zei Pepijn.

'Hier niet!'

'Ga ik dat nog ff halen!' Pepijn wilde al naar de gang om zijn jas aan te trekken.

'Als je dat doet, hoef je niet meer terug te komen,' zei Pascal rustig. 'Nogmaals, geen bier of wat voor alcoholisch drankje dan ook. Ik ben niet voor niks leraar.'

'Huh, hoezo?' vroeg Pepijn verbaasd.

'Je weet toch dat alcohol je hersenen aantast, vooral als je nog geen zestien bent. En ik moet er niet aan denken een klas vol leerlingen met zwakke hersentjes voor me te hebben,' legde Pascal uit.

'We wilden drank kopen,' zei Quina later, 'maar dat mocht dus niet. Ik had best een breezertje gelust, maar Pascal heeft wel gelijk.'

'Túúrlijk heeft Pascal gelijk.' Anne Lynn grijnsde.

'Drink jij dan alcohol?' vroeg Myrthe met een uithaal.

'O, zo vaak. Ik ga bijna elk weekend wel een keertje uit.'

Een paar jongens draaiden een shagje, maar ook dat vond Pascal niet goed. 'Er wordt hier niet gerookt,' zei hij.

'Dat vinden jullie zeker wel jammer?' vroeg Anne Lynn aan Quina en haar groepje.

Quina, Anais, Mauve en Robinetta rookten namelijk sinds de zomervakantie. En er waren ook een paar jongens die rookten. Maar ondanks het feit dat we het zonder sigaretten en alcohol moesten doen, was het onwijs gezellig. Mij maakte het niks uit, want ik rook en ik drink sowieso niet, want dat kan niet als je topsporter bent.

We keken eerst een film en daarna hadden we een soort van disco.

Natuurlijk deed Quina verwoede pogingen om met Pascal te dansen, maar hij weigerde. Hij danste sowieso niet. Hij zat gewoon wat te kletsen. Echt gewoon leuk, aardig en heel belangstellend.

Op een gegeven moment kwam hij bij ons groepje zitten en toen wilde hij alles weten over mijn turnen.

'Ik las in je gegevens dat je dertig uur in de week traint,' begon hij. 'Vind je dat leuk?'

'Het leukste van alles,' zei ik.

'Maar dan heb je bijna geen tijd voor andere leuke dingen.'

'Dat is niet erg. Turnen is alles voor mij en ik ga voor de eerste plaats.' Ik vertelde hem dat ik vorig jaar op het NK derde was geworden en het jaar daarvoor ook.

'Je bent dus echt goed.' Pascal keek me onderzoekend aan.

'Ze is steengoed,' zei Anne Lynn enthousiast. Myrthe en Tirza vielen haar bij.

'Als je ziet wat zij op de balk kan, dat kan ik nog niet eens gewoon op de vloer,' vertelde Myrthe.

'En ze heeft ook geturnd, vroeger, dus ze kan best wat!' vulde Tirza aan.

'Ik heb vroeger ook geturnd,' zei Pascal. 'Ja, daar kijken jullie van op hè?'

'Was je goed?' vroeg ik.

'Wat heet,' zei hij. 'Ik ben tot het NK gekomen, dus ja, redelijk.'

'Waarom ben je gestopt?' wilde ik weten.

'Blessure aan mijn rug, die niet over wilde gaan. Toen zei de arts dat turnen een te grote belasting voor mijn lichaam was.'

'Balen,' vond Myrthe.

'Waar hebben jullie het over?' wilde Quina weten, die er ook bijgekomen was.

Pascal stond op. 'Over turnen. En nu ga ik even de vaatwasser uitruimen. Jullie vermaken je wel, toch?'

Wij knikten.

'Ik help je wel even.' Quina deed een paar stappen in zijn richting.

'Nee,' zei Pascal beslist. 'Je hebt al genoeg gedaan.'

'O, maar ik help graag.'

'Ieuww, ik moet overgeven!' Dat was Tara.

Pascal keek Quina even aan en schudde zijn hoofd. 'Er is niets wat ik liever doe dan alléén de vaatwasser uitruimen.' Hij legde de nadruk op het woordje alleen. 'En, Tara, het toilet is op de gang.' Hij knipoogde.

Toen verdween hij naar de keuken.

'Jammer Quina, je liefje stelt je hulp niet op prijs.' Anne Lynn grijnsde.

'O, houd toch je bek,' snauwde Quina en ze stampte boos naar haar vriendinnen.

'Misschien moeten we Pascal toch voor haar waarschuwen?' Tirza keek vragend rond.

'Dat kan toch niet, sukkel!' zei Tara. 'Dan moeten we vertellen wat er vorig jaar gebeurd is en dat is klikken!'

'Dat is waarschuwen, dat is iets heel anders,' zei Tirza.

'Straks denkt ie nog dat we jaloers zijn,' opperde Myrthe.

'Echt niet!' riep Tirza verontwaardigd uit.

'Tuurlijk wel,' zei Myrthe. 'Denk na: Quina vindt hem leuk. Jij gaat Quina zwart maken. Hij denkt: Hé, waarom doet dat meisje dat? O, ik weet het al, ze kan natuurlijk niet uitstaan dat Quina mijn lievelingetje is.'

'Quina is zijn lievelingetje helemaal niet,' zei Tirza.

'Nee duh, maar hij denkt dan dat wij dat denken en dat wij daarom...'

'Houd op!' lachte ik. 'Weet je wat ik denk?'

'Nou?' De anderen keken me vragend aan.

'Pascal weet allang wat er gebeurd is met Boele. Alle leraren weten dat natuurlijk. Die hebben vorig jaar echt niet zitten sla-

pen, hoor! Reken maar dat ze het er uitgebreid over gehad hebben in de lerarenkamer. Ze weten allang dat Quina een vet
kreng is.'

Het vette kreng hing met een boos gezicht op de bank en haar
vriendinnen hingen erom heen.

'Hé, Quina, jammer hè dat je niet mocht helpen!? Maar misschien mag je thuis de vaatwasser nog wel uitruimen,' riep
Anne Lynn.

Alhoewel Anne Lynns opmerking nou niet direct héél leuk
was, begonnen we keihard te lachen. Echt wel een beetje bitchy, maar Quina vraagt er gewoonweg om. Dus…daarom!

 @fleurturnt
Superfeest gehad.

Vrijdag 15 oktober

Snertdag vandaag. Het begon ermee dat we bij turnen weer op
de weegschaal moesten en ik ben drie ons gegroeid. Drie ons!
'Dat mag niet, Fleur,' waarschuwde Hans.

Vertel mij wat. Natuurlijk mag dat niet, dat weet ik ook. Sying
was natuurlijk helemaal niks aangekomen, maar ze zag er
grauw en moe uit.

'Voel je je niet lekker?' vroeg Hans haar.

'Slecht geslapen,' zei Sying.

'Je moest zeker van je moeder de hele avond op de balk oefenen,' sneerde Britt.

'Britt, ben je gek? Ik wil niet hebben dat je zo doet!' viel Hans
uit.

Sying schudde haar hoofd. 'We hebben deze week toetsweek
en ik heb gewoon heel hard geleerd.'

'Ik dacht dat je niet meer dan een uur huiswerk per dag hoefde te maken?' Dit keer klonk Britts stem wel wat vriendelijker.

'Voor school niet, nee, maar voor mijn moeder wel! Die wil dat ik mijn Chinees bijhoud en ze geeft mij huiswerk op. Ik moet elke dag een uur Chinees doen.'

'Joh, dat doe je toch gewoon niet,' zei ik.

'Ik merk wel dat jij mijn moeder niet kent. Weet je, meestal vind ik het niet erg, maar net deze week met al die toetsen… Ik ben gewoon moe.'

Dat ze moe was merkten we, want ze viel een paar keer gemeen. Een keer belandde ze zelfs met haar kruis op de balk. Onwijs pijnlijk, maar ze gaf geen krimp en turnde gewoon door.

Na het turnen, waren Sying en ik als laatsten nog in de kleedkamer. Ik keek naar haar en wilde dat ik net zo slank was. Toen ze zich bukte om haar laarzen dicht te ritsen, kreunde ze even kort.

'Wat heb je?' vroeg ik.

'Mijn rug. Ik heb last van mijn rug.'

'Nu opeens?'

'Nee, al langer.'

'Moet je dan niet naar de dokter?'

Sying schudde haar hoofd. 'Ik neem af een toe een paracetamol en dat helpt.'

'O,' zei ik.

'Weet je, je moet veel water drinken en vaak je tanden poetsen,' zei Sying. 'Dan heb je minder trek in lekkers en zo.'

'O,' zei ik nog een keer. 'Dank je wel voor de tip!'

'Je moet wel voldoende eten, hoor.' Sying trok haar jas aan. 'Anders word je zwak en duizelig. Het is de kunst om precies genoeg te eten, zodat je niet aankomt, maar nog wel kunt presteren, zegt mijn moeder.'

'Da's wel lastig.' Ik propte mijn natte handdoek in mijn tas.
'Yep!' Sying slingerde haar tas over haar schouder. 'Maar het moet, want you know, thin is going to win.'

Nog balend ging ik na de training naar school. Drie ons is misschien wel niet zoveel, maar ik wilde het gewoon niet. Ik had drie ons minder willen wegen.

Het derde uur hadden we Nederlands en Pascal gebruikte dat uur om de rapporten uit te delen. Het mijne was niet heel erg goed. Beter gezegd: het was ronduit slecht. Ik had vier vijven, een vier en voor de rest zessen en twee zevens. Pascal keek bezorgd toen hij het me overhandigde.

'Niet zo best,' zei hij.
Ik haalde mijn schouders op. Ik wist wel dat het niet zo goed zou zijn, maar toen ik het zag, schrok ik toch een beetje. Zo slecht had ik niet verwacht. Natuurlijk wist ik dat ik onvoldoendes had gehaald, maar zoveel?
Met dit rapport zou ik niet eens naar vmbo-tl kunnen, dan moest ik naar vmbo-kb. Dat zouden papa en mama zeker niet goed vinden. Die hoopten nog steeds dat ik de havo zou kunnen doen. Dat wilde ik zelf ook wel, maar niet als ik dan minder zou kunnen turnen.
Ik probeerde wel in de klas mijn huiswerk zoveel mogelijk te maken, maar als Anne Lynn geen zin had om te werken en een beetje begon te keten, liet ik me gemakkelijk afleiden. En er waren net als verleden jaar ook leraren die het tijdens het stiltemoment, dat dus echt bedoeld was om te leren, niet echt stil kregen.
Dus moest ik thuis vaak nog best veel doen. Meestal was ik pas na zevenen thuis en dan had ik niet veel zin meer. Eerst moest ik eten en daarna keek ik samen met oma naar GTST. Vaak be-

studeerde ik onder het kijken met een half oog mijn schoolboeken, maar eerlijk is eerlijk, veel onthield ik dan niet. Ik werd helemaal gek van alle toetsen die we wekelijks hadden. Officieel mochten we er niet meer dan drie per week, maar dan zei de docent dat het geen toets maar een schriftelijk was en dat mocht dan weer wel. Ja, zo kan ik het ook. Die schriftelijke overhoringen zijn óók toetsen, hoor!

Oma zei niet zoveel van mijn rapport. Die zit een beetje met haar hoofd in de wolken. Een beetje heel erg. Na de zomervakantie is ze hier in de stad op een bridgeclub gegaan en daar heeft ze een vriend van vroeger van de middelbare school ontmoet. Toentertijd vonden ze elkaar al aardig en zo, maar het werd niets omdat ze allebei in een andere stad gingen studeren.

En nu zijn ze elkaar weer tegengekomen dus. Hugo heet hij en hij is heel aardig. Ja, ja, ik heb hem ontmoet. Afgelopen woensdag kwam hij eten.

In het begin, toen oma over Hugo verteld had, dacht ik er verder niet zo over na. Ik dacht dat het gewoon vriendschap was, maar dat denk ik sinds woensdag dus echt niet meer. Volgens mij zijn ze stapelsmoorverliefd. Ze keken elkaar steeds heel diep in de ogen en dan glimlachten ze naar elkaar. Echt wel een beetje weird, twee van die oude mensen.

Hugo's vrouw is twee jaar geleden overleden en volgens oma loopt hij een beetje met zijn ziel onder zijn arm. Rare uitdrukking. Met je ziel onder je arm lopen.

Hij vertelde dat hij een kleindochter heeft die net zo oud is als ik en verder zeven kleinzonen. Niet allemaal uit hetzelfde gezin, hoor. Hugo heeft drie kinderen.

Toen ik naar bed ging zaten ze

naast elkaar op de bank, nog net niet handje handje. Die oma! In elk geval, die verliefdheid maakt dat ze toch net wat minder op mij let. Ik bedoel, anders was ze echt wel boos geweest dat ik met zo'n rapport was thuisgekomen.

Toen ik vanavond thuiskwam, alléén dit keer, want oma bleef het weekend in ons appartement, waren papa en mama wél boos. Alhoewel, boos is misschien niet het goede woord, ze waren meer geschrokken en ze reageerden echt overdreven. Ze zeiden meteen dat ik dan toch maar wat minder moest turnen.
'Als je zo doorgaat, kun je niet naar de havo,' zei papa.
'Boeie!'
'Fleur, doe niet zo brutaal.' Mama gaf het rapport nog een keer aan papa. 'Hoe kan dit?'
'Ja, weet ik dat. Het is gewoon moeilijk.'
'Met dit rapport kun je niet eens naar TL,' zei mama.
'Dan doe ik toch KB,' zei ik.
'Of je blijft zitten,' waarschuwde papa.
Ik keek hem verschrikt aan. 'Dát wil ik niet.'
'Nee, dat snap ik, maar met zo'n rapport.' Papa trok een zorgelijk gezicht.
'Misschien kan ik wat harder werken,' opperde ik.
'Waarom heb je dat niet meteen gedaan?' wilde mama weten.
'Ik dacht dat het zo ook wel zou lukken.'
Mama zuchtte. 'Ik vind dat je minder uren moet gaan turnen.'
'Nou, dat dacht ik dus écht niet! Ik wil turnen.'
'Lieverd, niet als het ten koste gaat van je school. Opleiding is zó belangrijk. Dat vind jij toch ook?' Mama keek papa vragend aan.
Papa knikte.
'Als je twintig bent is het turnen voorbij,' ging mama verder.
'Of je moet al eerder stoppen. Hoeveel meisjes houden er in de

puberteit niet mee op door blessures?'

'Ik ga beter mijn best doen, maar hoef ik please, please, please niet van turnen af?'

'Je hoeft er ook niet vanaf. Ik zei alleen maar dat je minder uren moet turnen.'

'Dan bereik ik de top dus echt nooit! Is dat wat jullie willen? Ik vind het gemeen! Gemeen!'

Charlie kwam uit haar mand en ging tegen mijn been zitten. Ik aaide haar over haar lieve koppetje en ze likte mijn hand.

'Goed dan.' Papa stopte het rapport terug in de envelop. 'Dit is nog maar een tussenrapport. We wachten het kerstrapport af en nemen dan een beslissing. Is dat een idee? Dan kun je laten zien of het je lukt om die slechte cijfers nog een beetje op te halen.'

Ik knikte opgelucht. 'Dat gaat me wel lukken.'

'Ik hoop het.' Mama keek nog steeds zorgelijk.

'Hoe ga je dat aanpakken?' wilde papa weten.

'Ik ga in de les beter mijn huiswerk maken en ik vraag omi.'

Papa en mama keken elkaar even aan.

'Wát?' snibde ik. 'Wéér niet goed?'

'Fleur, wat is er toch met je aan de hand? Zó brutaal, kennen we je helemaal niet!'

'Ik ben geen klein kind meer, hoor!'

'Gedraag je dan ook niet zo!'

'Hoe zó?'

'Fleur, we zijn eerst wel uitgepraat. Zorg jij er nu maar voor dat je kerstrapport beter is en dan praten we ver- der.'

'Wat jullie willen.' Ik tilde Charlie op mijn schoot en knuffelde haar. Ze kwispelde als een gek en probeerde me over mijn neus te likken. Ze is zó lief en altijd blij als ze me ziet! Zij wel.

Maandag 18 oktober

Toen ik vanochtend vroeg mijn computer opstartte, zag ik op de homepage van Hyves bij 'Nu meest besproken' een foto van een donkere jongen. **MOET MAURO NEDERLAND UIT?** stond er in een vet gedrukte kop boven. En daaronder: *Zeventig procent van de Nederlanders vindt dat Mauro moet blijven, wat vind jij?*

In de afgelopen week had ik al een paar keer bij het nieuws iets over Mauro gehoord. Echt zó zielig. Kan hij er wat aan doen dat hij als jochie van negen door zijn ouders op het vliegtuig is gezet?

Sommige mensen vonden dat Mauro wel terug moest, omdat hij van het begin af aan dat hij in Nederland was al wist dat hij op zijn achttiende weer terug zou moeten.

Echt zó ontzettend dom, vond ik dat. Hoe kon hij dat toen weten?

Mama was super- en superverontwaardigd over het feit dat Mauro terug moest. 'Waar slaat dat op?' had ze uitgeroepen. 'Dat arme kind! Wat moet ie beginnen daar in Angola.'

'Werken misschien?' had papa voorzichtig geopperd.

'In een land waar zo'n kind de taal niet meer spreekt? Waar het niemand kent?' had mama fel gezegd. 'Ik vind het kindermishandeling, als je dat maar weet!'

Toen had papa gezegd dat hij het ook heel erg vond, maar dat mama wel een beetje overdreef. Dat kind was tenslotte al wel volwassen. Toen had mama beledigd haar mond gehouden. Maar ik vond dat mama groot gelijk had.

Er was ook weer een krabbel van Jens. Hij krabbelt me bijna elke week wel een keer.

Liefste Fleur
Het is herfstvakantie en ik wil je zien.
Want ik ben bijna vergeten hoe blauw
je ogen zijn,
hoe blond je haren en
hoe lief je lach.
Daarom kom ik deze week een dag naar je toe.
Zeg jij maar welke dag het beste uitkomt!
Love you
Jens

Op slag was ik stikzenuwachtig. Hij zou deze week komen! Natuurlijk wilde ik hem graag zien, maar ik vond het ook doodeng. Straks viel ik hem tegen. Of hij mij natuurlijk.
Ik zou met Alma moeten overleggen of ik een middagtraining mocht laten vallen en op welke dag. Gelukkig was Alma een stuk soepeler dan Hans, dus dat zou vast wel mogen.
Man o man, dit was spannend. Hopelijk hield ik niet de hele tijd dat gespannen gevoel in mijn buik, dat meteen was opgekomen toen ik had gelezen dat hij op bezoek wilde komen. Zere buik en slappe benen, brrr.

🐦 @fleurturnt
Jens komt vrijdag. Alma vindt het goed dat ik niet op de middagtraining kom. Ga elke dag half uur langer trainen om te compenseren.

Vrijdag 22 oktober

Ik stond op het perron te wachten op de trein waarmee Jens zo meteen zou komen. Vanochtend had hij me nog getwitterd:

 @jenssingasong
Lieve Fleur,
Strakjes kom ik met de trein om een dag bij jou te zijn
Love you Jens

Die Jens. Hij gaf me steeds weer het gevoel dat ik super bijzonder was.

Vanochtend was het turnen ook waanzinnig goed gegaan, alsof zijn berichtje me vleugels had gegeven. Voor het eerst lukte de reus voorover helemaal perfect. Zó gaaf. En van mijn vloeroefening spatte het vuurwerk af, althans volgens Alma, alhoewel ik wel een paar foutjes maakte. Een keer belandde ik in mijn enthousiasme op de lijn.

'Dat moet wel een heel leuke jongen zijn, die jij vandaag gaat zien,' zei Alma.

'Ja,' zei ik. 'Dat is ie.'

'Hij heeft meegedaan met Popstars,' zei Britt. 'Hij is echt onwijs leuk.'

'Nou,' zei Alma, toch een beetje bedenkelijk, 'veel tijd voor dikke verkering heb je niet, meisje.'

'Weet ik,' zei ik ongeduldig. 'Maar ik wil ook geen dikke verkering.'

'Maar hij misschien wel,' zei Alma nuchter. 'Dus pas maar een beetje op. Turnen gaat voor!'

Turnen gaat voor. De waarschuwing van Alma spookte door mijn hoofd toen Jens uit de trein stapte. Hij was leuk, maar in gedachten was hij nog leuker geweest.

Jens sloeg zijn armen om me heen en zoende me op beide wangen.

We hadden een supergezellige dag, dat wel. Eerst slenterden we samen door de stad. We kletsten eindeloos en hadden veel lol. Hij maakte veel grappen en het was bijna net als in Turkije. Alleen een beetje kouder, een heleboel beetjes. We aten een patatje (ai, ai, slecht voor de lijn) en daarna pakten we een filmpje. Toen de film was afgelopen, gingen we naar mijn huis. Het was nog niet zo laat, papa en mama waren er nog niet en oma zat de hele vakantie in ons appartement gezellig afspraakjes te maken met Hugo, dus we waren helemaal alleen thuis.

'Waarom ging je zo snel weg?' vroeg Jens op een gegeven moment. 'Toen, die laatste avond dat je in Turkije was. Ik zag het niet eens zo snel, maar Laurie vertelde later dat ze je nog nageroepen had, maar je was echt in een mum van tijd verdwenen.'

'Was je meegegaan, als je het gezien had?'

'Absoluut,' zei hij.

'Jij bemoeide je alleen maar met al die meiden,' zei ik.

'Dat waren fans. Daar moet ik aardig tegen zijn. Dat begrijp je toch wel?'

'Ik voelde me opeens zo gewoon,' bekende ik. 'Ik dacht dat je me een sukkeltje vond.'

'Tuurlijk niet. Ik vind je juist heel bijzonder.'

'Ja, dat weet ik zo langzamerhand door alle leuke dingen die je me krabbelt en twittert en whatsappt.'

'Ja hè? Ik probeer ook zoveel mogelijk mijn eigen songteksten te maken.' Hij legde zijn handen om mijn gezicht en gaf me een zoen op mijn lippen. En ik gaf hem een zoen terug.

En dat was dat. Niks geen tongzoen of

wat dan ook. Ik voelde me best wel opgelucht. Ik vond hem leuk, maar ik had toch nog geen zin om veel te zoenen en zo. Toen papa en mama thuiskwamen, maakte ze kennis met Jens. Ze lieten eten van de Chinees komen en het was echt gezellig. Toen ik 's avonds in bed lag, kwam mama binnen. Ze ging op de rand van mijn bed zitten. 'Gezellig gehad?'

'Heel erg.'

'Aardige jongen, die Jens.'

'Ja hè?'

'Lieverd.' Mama steek even over mijn hand. 'Jens is wel een paar jaartjes ouder dan jij.'

'Twee.'

'Ja. Maar weet je, dat leeftijdsverschil is best groot.'

'Hoezo? Twee jaar is echt niet veel, hoor.' Ik had geen idee waar mama heen wilde.

'Nou ja, zo'n jongen van vijftien wil waarschijnlijk meer dan een meisje van dertien.'

Ik kwam met een ruk overeind. 'Wat bedoel je nou eigenlijk precies?'

'Ik bedoel dat een jongen van vijftien jaar misschien wel wat meer wil dan alleen handje vasthouden.'

'Maham, wat een onzin!'

'Echt Fleurtje, je…'

'Maham, daar ben ik toch zelf bij. Als ik dat toch niet wil…'

'Weet ik lieverd, maar, nou ja, je bent nog zo jong.'

'Ik doe echt niks wat ik niet wil, hoor. En als het je geruststelt, we hebben inderdaad alleen maar een beetje handje vastgehouden. We hebben nog niet eens echt gezoend.'

'Had je dat wel gewild?'

'Mam, houd op! Ik heb hier echt geen zin in!' Ik liet me demonstratief achterover vallen en deed mijn ogen dicht. 'Trusten.'

Mama boog zich over me heen en gaf me een zoen. 'Slaap

zacht en droom mooi, mijn lieve grote, kleine meisje, maar dat gaat vast lukken.' Ze knipte het lampje bij mijn bed uit en verliet de kamer.

@fleurturnt
Pfff, moeders. Lief maar lastig.

Maandag 1 november

Vandaag is echt een verschrikkelijke dag. Rampzalig, ellendig, diep en diep tragisch. Mijn enkel, dezelfde waaraan ik al een paar keer eerder een blessure heb gehad, is zwaar en zwaar gekneusd. Zo zwaar dat ik er niet eens op kan staan. Waarschijnlijk, misschien, hoop het niet, zit er een scheur(-tje) in de enkelband aan de buitenkant.

Ik hink een beetje dommig op twee krukken.

En het is niet eens gebeurd bij turnen. Nee, gewoon op school. Ik verstapte me op de trap. Echt zo achterlijk. Niet te filmen gewoon. Ben verschrikkelijk boos op mezelf.

Ik voelde het meteen. Ik verstapte me dus, knakte door mijn enkel en viel. Gelukkig was ik al bijna beneden, dus ik viel niet heel erg hard of zo, maar mijn enkel bleef pijn doen en zwol heel snel op. Ik probeerde erop te staan, maar dat lukte echt niet.

De conciërge kwam meteen met een ice pack en ging oma bellen. Die kwam samen met Hugo.

Eerst gingen we naar de huisarts en die stuurde ons door voor foto's. In het ziekenhuis moesten we heeeeeel lang wachten. Toen ik eindelijk aan de beurt was zat er een eivormige zwelling aan de buitenkant van mijn enkel die blauwgroen van kleur was. Gelukkig was mijn enkel niet gebroken, maar in mijn buitenste enkelband zat dus mogelijk een scheurtje, volgens de dokter.

Ik barstte meteen in tranen uit. De dokter was natuurlijk stomverbaasd. 'Nou, nou,' zei hij. 'Het is wel vervelend, maar zo heel erg is het nou ook weer niet.'

Hugo klopte me bedarend op mijn schouder.

Maar oma zei: 'Ze turnt en dit is een ramp voor haar.'

'Tja, dat is pech. Als de enkelband daadwerkelijk gescheurd is, ben je er zeker zes tot acht weken zoet mee!'

'Zo lang!' riep ik ontzet uit. 'Maar dan haal ik het NK niet.'

De dokter begon mijn enkel in te tapen. 'Denk erom dat je je enkel zo min mogelijk belast want dat kan blijvende schade tot gevolg hebben en dat willen we natuurlijk niet. Over een week kom je terug, dan is de zwelling waarschijnlijk een stuk minder en dan kan ik zien of je enkelband inderdaad gescheurd is en hoe erg.'

'En zo niet?' vroeg oma.

'Dan is ze met een paar weekjes wel weer in staat tot turnen,' zei de dokter.

Tussen oma en Hugo in hinkte ik het ziekenhuis uit.

Thuis plofte ik op de bank neer. Hugo ging weg om een paar krukken te halen. Hij kwam terug met een paar knalroze en een grote zak snoep. Hij kon natuurlijk niet weten dat ik dat eigenlijk helemaal niet eten wil. Het snoep zag er zo verleidelijk lekker uit, dat ik me niet kon beheersen. Eerst nam ik er heel zuinigjes

eentje, maar ja, eentje smaakt altijd naar meer en al snel had ik er tien op. Ach, wat kon het me ook boeien. Ik kon misschien wel acht weken niet turnen. Ik pakte een handvol snoep en propte dat in mijn mond. Daarna pakte ik mijn telefoon.

 @fleurturnt
Ik ben zieliger dan zielig, want ik ben van de trap gepleurd en heb mijn enkelband gescheurd.

Ik had mijn tweet nog maar nauwelijks de wereld in gestuurd of ik kreeg van iedereen lieve reacties terug. Mijn vriendinnen probeerden me allemaal moed in te spreken.
Voor het eerst sinds lange tijd hoorde ik weer iets van Nigel.

 @nigeldropkicks
Heel veel sterkte en zet 'm op!

Ik vond het superlief van hem. Ik wist dat hij een half jaar geleden een zusje had gekregen en dat hij met voetbal zijn enkel had gebroken door een of andere domme actie van iemand uit zijn team notabene. Dat had hij me voor de zomervakantie nog laten weten. Eigenlijk schaamde ik me omdat ik na één berichtje aan hem terug verder niks meer van me had laten horen. Ik wist niet eens of hij al weer voetbalde. Dus stuurde ik hem een whatsapp om hem te vragen hoe het met hem ging. Even later zaten we druk te whatsappen. Nigel zit dus nu in atheneum 2 en het gaat super met hem, zowel op school als met voetbal.
Na schooltijd kwamen Anne Lynn, Myrthe en Tirza langs met… je raadt het al: ook een megagrote zak snoep!
'Ik groei dicht,' jammerde ik.
'O, nou, we helpen je wel even,' zei Anne Lynn nuchter en ze deed een greep in de zak. 'Zo, is er weer wat minder voor jou!'
'Dank je,' zuchtte ik.

'Kom op hé!' Tirza schudde me aan mijn schouder.

'Au au,' jammerde ik.

Geschrokken keek Tirza me aan. 'O sorry, ik dacht er niet zo snel aan dat als ik je hier aanraak,' ze wees op mijn schouder, 'dat je het dan daar voelt!' Ze wees op mijn enkel.

'Maar het is wel zo!' Ik deed nu ook een greep in de snoepzak. Alleen vandaag mocht ik snoepen. Troostsnoep. Morgen, suste ik mezelf, zou ik dat niet meer doen.

's Avonds kwamen Hans en Alma op bezoek. Gelukkig brachten zij geen zak snoep mee, maar een schattig, zacht, wit knuffelbeertje.

'Pech, meid.' Alma sloeg haar arm om me heen. Meteen begon ik weer te huilen.

'Kom op, Fleur.' Hans klopte me op mijn schouder. 'In het ergste geval, als je enkelband inderdaad gescheurd is, ben je daar acht weken zoet mee. In het voorjaar heb je pas je eerste plaatsingswedstrijd.'

'Ja. maar dan mis ik al die andere wedstrijden,' snikte ik. 'Dan kan ik me toch niet goed voorbereiden?'

'Lieverd.' Alma trok me een beetje dichter tegen zich aan. 'Niet zo somber. Probeer het een beetje positief te zien.'

'Hoe dan?'

'Straks begin jij met een uitgerust lijf.'

'Ja hoor!' Ik snoof. 'Een ongetraind lijf zul je bedoelen.'

'Een uitgerust, ongetraind lijf.' Hans lachte even.

'Lach niet!' stoof ik op. 'Er is niets leuks aan.'

'Nee, je hebt gelijk.' Hans keek zó schuldbewust dat ik een beetje moest lachen.

'Gelukkig, de zon breekt weer door,' zei Hans.

Oma kwam binnen met koffie, zelfgebakken cake en voor mij een beker warme chocolademelk.

Ik bedankte voor de cake.

'Mijn kleindochter hier vindt dat ze moet afvallen,' begon oma.

'Oma,' zei ik gegeneerd.

'Niks "oma". Vinden jullie dat Fleur te dik is?'

'Absoluut niet,' zei Alma. 'Hoe kom je daar zo ineens bij, Fleur?'

'Ik was bij turnen een halve kilo gegroeid.'

'Hoezo bij turnen?' Alma keek verbaasd.

'Toen we weer gewogen werden.'

'Weer gewogen werden?' Alma keek naar Hans. 'Heb je toch...? Je weet toch dat ik dat een heel slecht idee vond?'

'Zullen we het daar later over hebben?' vroeg Hans een beetje ongemakkelijk. En tegen oma zei hij: 'Ik vind Fleur zeker niet te dik, maar feit is dat bij turnen elk kilootje telt.'

'Dat zei ik toch!' Ik vouwde mijn handen om mijn warme beker chocolademelk.

'Ja, dat zei je en ik heb je toen laten zien dat je BMI keurig is,' zei oma. 'Ik wil geen anorectische kleindochter!' Ze keek Hans streng aan. 'Fleurs gezondheid is het allerbelangrijkst, goed begrepen?'

'Oma,' zei ik weer. Ik voelde me echt straal opgelaten. 'Ik heb vanmiddag een heleboel snoep gegeten. Dan ben ik toch niet anorectisch?' Ik wilde dat ik op kon staan en de kamer kon verlaten, maar mijn enkel deed onwijs veel pijn en ik was nog niet echt handig met mijn nieuwe krukken, dus dat zou me een gestuntel geven en daar had ik geen zin in.

'Nee, nog niet,' zei oma. 'Maar het gevaar ligt wel op de loer.'

Hans kuchte een paar keer. 'Ik wil natuurlijk ook niet dat mijn turnsters anorexia krijgen, maar...'

'... maar ze krijgen het zo wel,' vulde oma aan, 'althans, je werkt het in de hand.'

Alma probeerde het gesprek op een ander onderwerp te brengen, maar dat verliep superstroef.

Ik was blij toen Alma en Hans afscheid namen en het zou me niet verbazen als die twee vanavond vette ruzie kregen.

Vlak voordat ik in sliep was er nog een twittertweet van Jens.

 @jenssingasong
Ik ben voor je gevallen, gevallen op straat. Ik zag je mooie ogen, maar de stoeprand te laat. Beterschap schatje.

Maandag 8 november

Vanochtend vroeg ben ik weer in het ziekenhuis geweest en er blijkt inderdaad een scheurtje in de buitenste band te zitten. Zes tot acht weken niet turnen. Wat een ellendige rotramp!

Achter in de auto van Hugo, die me samen met oma naar school bracht, twitterde ik:

 @fleurturnt
Weg turncarrière. Ben superdepri en word nooit meer blij.

Meteen kwamen er allemaal verschrikte tweets binnen van bezorgde vriendinnen, van Nigel en van Jens natuurlijk.

Omdat iedereen dacht dat ik helemaal nooit meer zou kunnen turnen, stuurde ik een beetje lusteloos een tweede tweet.

 @fleurturnt
Gescheurde enkelband is ook erg hoor! Moet nog maar zien dat ik over acht weken weer turn.

De hele dag zat ik verder zielig te zijn op school. Alle leraren vroegen natuurlijk wat er met mij aan de hand was en als mijn vriendinnen dat dan vertelden, reageerden ze allemaal zóóó zorgeloos, alsof het niks voorstelde. Nou ja, ze vonden het wel vervelend en sneu voor mij, maar als ze dat dan gezegd hadden, zeiden ze daarna zulke achterlijke dingen. Die waren dan blijkbaar bedoeld om mij te troosten:

'Kom op, er zijn ergere dingen!'

'Acht weken zijn voorbij voordat je het weet.'

'Ik dacht even dat je ongeneeslijk ziek was!'

Daarover was iedereen superverontwaardigd, maar ik haalde mijn schouders op.

Toen we Nederlands hadden van Pascal, was iedereen nog steeds heel erg verontwaardigd over die opmerking.

'Zoiets zég je toch niet,' meende Sem.

'Ach wat,' zei ik, 'dat is precies zoals ik me voel.'

Maar toen werd Pascal boos. 'Fleur,' zei hij, 'je hebt geen idee waar je het over hebt. Er zit wel enig verschil tussen een gescheurde enkelband en een ongeneeslijke ziekte. Kom op, zeg! En hoe denk je dat ik me voelde toen ik hoorde dat ik nooit meer mocht turnen in verband met mijn rug? Even weer met beide beentjes op de grond, hoor!'

Pfff, daar heb ik wat aan.

Alleen Woppie reageerde begripvol. Hij zei dat hij best begreep dat ik meters diep in de put zat. 'Zal ik een kopje thee voor je halen?' vroeg hij lief. En toen begon ik te huilen en toen sloegen Anne Lynn, Myrthe en Tirza hun armen om me heen om me te troosten.

'Weet je wat?' Woppie stopte zijn boek in zijn tas. 'Het is het laatste uur. Als Sem en Tara nu even voor iedereen thee halen met koeken, dan gaan we samen een film kijken. Een grappige film, wel in het Duits natuurlijk, om Fleur een beetje op te vrolijken.'

Iedereen begon te klappen en toen Sem en Tara na tien minuten terugkwamen met de thee en koeken, deed Woppie een dvd in de computer. En zo hadden we echt een mega leuk laatste uur en daar werd ik ondanks alles, toch een ietsiepietsie blij van. Woppie is toppie! Wie had dat kunnen denken?

@fleurturnt
Laatste uur Duits was oké.

Woensdag 17 november

O, o, o wat mis ik turnen. Af en toe ga ik kijken, maar het is zó waardeloos om te zien hoe de meiden hun oefening onder de knie krijgen en ik niet. Britt wordt echt onwijs goed en Sying natuurlijk helemaal. Die meid is een supertalent, maar erg vrolijk ziet ze er meestal niet uit.

Vandaag was ze spierwit, terwijl ze op de balk balanceerde. Gelukkig was Alma er ook. Zij heeft altijd een beter oog voor hoe wij ons voelen en zo. Ze heeft er ook voor gezorgd dat we niet meer gewogen worden.

'Sying, voel je je wel goed?'

'Ja hoor! Alleen een beetje moe.'

'En hoe komt dat?'

Sying antwoordde niet, maar ging gewoon met haar oefening door.

'Sying! Ik vraag je wat.'

'Misschien een griepje of zo,' zei Sying vaag.

'Kom eens even bij me.'

Sying sprong van de balk en liep naar Alma toe. Die legde haar hand even tegen Syings wang. 'Geen koorts, volgens mij. Wat heb je dan precies?'

'Beetje hoofdpijn.'

En rugpijn, vulde ik in gedachten aan.

'Misschien kun je beter stoppen,' stelde Alma voor.

'Nee!' antwoordde Sying fel. 'Echt niet! Ik ga door.'

'Heel goed,' prees Hans haar, die er ook bij kwam staan. 'Niet te soft worden hoor.'

Alma keek verontwaardigd, maar ze zei niets. Volgens mij hebben zij en Hans vaak onenigheid over de training. Hans is van de harde aanpak en Alma van de inderdaad meer softe en vriendelijke aanpak. Eigenlijk wel een ideale mix.

 @fleurturnt

Nog bijna zes weken voordat ik weer mag trainen.

Maandag 22 november

Op school gaat alles zijn gangetje. Ik heb nu veel meer tijd voor mijn huiswerk natuurlijk, maar ik voel me voortdurend zó chagrijnig.

'Gezellig ben jij de laatste tijd,' mopperde Tirza.

Het was kleine pauze en we zaten in de kantine. Myrthe had gevulde koeken gehaald en ik kon er geen weerstand aan bieden. Ik had een halve genomen en voelde me een echte loser dat ik niet gewoon in mijn appeltje hapte.

'We moeten haar opvrolijken,' zei Anne Lynn beslist. 'Wie weet er een leuke mop.'

'Ik wel,' zei Tirza. 'Horen?'

'Ja hoor,' zei ik somber.

'Twee domme blondjes zijn aan het shoppen,' begon Tirza. 'Zegt de een: "By the way, ik heb gisteren een zwangerschapstest gedaan." Vraagt de ander: "Heb je 'm goed gemaakt?"'

De anderen giechelden, maar ik vond er niets leuks aan.

'Oké, wie weet er nog een?' Tirza keek vragend rond.

'Een beroemde wetenschapper heeft een conferentie in Den Haag en gaat daar met de trein naartoe,' vertelde Myrthe. 'In de trein komt er een mooie blondine naast hem zitten. Om de tijd wat te doden, vraagt hij of ze zin heeft een kennisquizje met hem te spelen. Als zij een vraag niet weet, moet ze hem vijf euro betalen, maar als hij een vraag niet weet, betaalt hij haar vijfhonderd euro. Dat lijkt de blondine wel wat en ze gaat er eens goed voor zitten.

De wetenschapper stelt de eerste vraag: "Wat is de afstand tussen de aarde en de zon?"

Rustig haalt de blondine een briefje van vijf euro tevoorschijn, overhandigt dat aan de wetenschapper en stelt meteen haar vraag: "Wat gaat met vier benen de berg op en komt met drie weer naar beneden?"

De wetenschapper is verrast door deze vraag en begint koortsachtig na te denken. Na tien minuten zet hij zijn laptop aan en begint als een razende te zoeken. Na ruim een uur surfen wendt hij zich tot de inmiddels slapende blondine, maakt haar wakker en overhandigt haar een beetje zuur tien briefjes van vijftig. Het meisje bergt het geld op en slaapt rustig verder. De wetenschapper stoot haar zachtjes aan en vraagt: "Sorry hoor, maar wát gaat er dan met vier benen de berg op en komt er met drie weer af?"

De blondine pakt haar portemonnee weer en overhandigt hem een briefje van vijf.'

We moesten allemaal een beetje grinniken.

'Hoera, ze lacht!' Anne Lynn pakte een van mijn krukken en zwaaide hem in het rond.

'Kijk uit, gek, straks raak je nog iemand.' Ik pakte Anne Lynn de kruk weer af.

'Een héééél knap meisje moet examen doen,' zei Myrthe. 'Ze gaat naar haar leraar, legt haar hand op zijn arm, kijkt hem zwoel aan en zegt: "Ik heb er alles voor over om een goed cijfer te halen. Alles." De leraar kijkt haar ook aan, legt zijn hand op de hare en vraagt: "Alles, meisje, echt alles?"

"Alles," zegt het meisje verleidelijk.

"Nou," zegt de leraar, "ga dan maar heel gauw aan het werk en bestudeer de stof grondig!"'

'Weten jullie aan wie ik nu denk?' vroeg ik.

De anderen keken me vragend aan.

'Aan Quina!'

'Ja,' giechelde Anne Lynn. 'Zou net wat voor haar zijn. Quina en Pascal!'

'Misschien zou Pascal er wel op in gaan,' opperde ik. 'Volgens mij is het een vette player. Een echte ladykiller. Hij komt altijd net iets te dicht bij je staan als hij iets moet uitleggen.'

'Hij is gewoon dol op meisjes!' zei Tara, die er samen met Cato ook bij was komen staan.

'Maar niet op Quina,' zei Myrthe, 'die houdt hij lekker op afstand.'

'Tuurlijk,' zei ik, 'wie wil Quina nou?'

'Pascal zeker niet,' zei Cato, 'want die valt niet op meisjes!'

'Huh, hoe kom je daar nou bij?' vroeg ik stomverbaasd en de andere meiden vielen me bij.

'Hij is juist hartstikke dol op meisjes,' zei Myrthe. 'In de klas ook, meisjes trekt hij altijd voor.'

Cato schudde geheimzinnig haar hoofd. 'Heus, geloof me nou maar, hij is homo!'

'Hoe weet je dat nou?' wilde ik weten.

'Ik heb het gezien!' zei Cato triomfantelijk.

'Wat gezien?' vroeg Anne Lynn.

'Ik was afgelopen zaterdag met mijn zus en mijn ouders bij de bouwmarkt om verf uit te zoeken. Mijn ouders willen namelijk de woonkamer verven en daarom...'

'Jahaa,' zei Myrthe ongeduldig, 'wat maakt dat uit? Vertel nou over Pascal!'

'... waren we daar dus,' ging Cato onverstoorbaar verder. 'En toen zag ik Pascal.' Cato liet een stilte vallen.

'Ja, nou en wat zou dat? Ik bedoel, daarom hoeft hij toch nog geen homo te zijn?' vroeg ik.

'Hij stond daar samen met een heel knappe, blonde jongen óók verf uit te zoeken.'

'Dat kan toch ook zijn broer zijn of zo,' opperde Myrthe.

'Tuurlijk niet!' gilde Anne Lynn. 'Ik heb het altijd al gedacht. Hij is veel te mooi voor een hetero. O, dat moet Quina weten!'

'Wat moet ik weten?' vroeg Quina die met haar vriendinnen net kwam aanlopen.

'Dat jouw liefje een homo is!' zei Anne Lynn uitdagend.

'Mijn liefje?' vroeg Quina verbluft. 'Wie bedoel je?'

'Ja, wie denk je?' katte Tirza.

'Waar hébben jullie het over?'

'Pascal,' zei Tara.

Quina werd rood. 'Is Pascal homo?' vroeg ze met een uithaal.

'Jammer hè?' zei Anne Lynn treiterig. 'Nou maak je dus echt geen kans!'

'Pfff, alsof ik dat zou willen, hij is hartstikke oud!'

'Het lijkt er anders wel op, zoals jij je altijd aanstelt! O, Pascal, ik heb dat boek gelezen dat je ons aanraadde. Echt onwijs gaaf!' Anne Lynn deed de aanstellerige stem van Quina na.

'Vuil kreng!' Quina deed een paar stappen naar Anne Lynn toe, maar die stond meteen op. 'Wat wou je? Vechten? Nou, kom maar op dan!'

'Yeah, dikke bitchfight!' juichte Tara.

'Jij altijd met je bitchfight,' lachte ik.

'Ik vind dat gewoon een lekker woord,' verdedigde Tara zich. 'Beter dan meidengevecht in elk geval.'

'Yeah, dikke bitchfight,' juichte ze nog een keer. 'Komt dat zien!'

Maar het kwam natuurlijk niet tot een gevecht, want Quina is een echte schijterd en ze ging er zo snel als ze kon met haar vriendinnen vandoor.

@fleurturnt
Love my friends.

Zondag 28 november

Ik zit morgen precies vier weken met mijn enkel en het gaat langzaamaan een beetje beter. Bij turnen doe ik af en toe wat krachttraining, zodat ik tenminste niet helemaal een slap en spierloos wezen word.

Vandaag waren de NK teamwedstrijden en ik ging mee om te kijken. Zwaar balen natuurlijk dat ik niet met de anderen in het team zat, maar ja. Gelukkig mocht ik wel gewoon bij de meiden in de zaal en hoefde ik niet op de tribune. Syings moeder was razend dat zij niet ook in de zaal mocht. 'Ik train mijn dochter en ze heeft mij nodig!'

Maar Hans en Alma waren onverbiddelijk. Syings moeder begon echt ruzie te maken en Syings vader probeerde haar een beetje te kalmeren, wat uiteindelijk ook lukte.

'Balen hè?' zei ik tegen Sying.

Die haalde haar schouders op. 'Gaat het beter met je enkel?'

'Gelukkig wel. Ik heb al een beetje fysio en ik denk dat ik hem over twee weken weer mag belasten.'

'Fijn!'

'En jouw rug?' vroeg ik.

'Veel beter!'

'O, gelukkig!'

En toen begon het inturnen. De meiden waren loeifanatiek, vooral Sying natuurlijk. Die is echt zó kapot goed. Ik weet zeker dat ze boven mij gaat eindigen. Nou ja, bijna zeker. Want ze is wel kapot goed, maar je moet ook een beetje geluk hebben.

Ons team eindigde als vijfde van de tweeëntwintig. Beter dan bij de NK teamwedstrijden van vorig jaar en dat was te danken aan een echt waanzinnige goede wedstrijd van én Sying én Britt. Pfff, als het zo doorgaat is Britt straks ook nog beter dan ik.

🐦 @fleurturnt
Ben beetje treurig, beetje erg treurig. Iedereen turnt top, alleen ik niet.

Vrijdag 24 december

Wat ben ik blij. Superdesuperdesuperblij! In de kerstvakantie mag ik weer meedoen met turntraining. Heel rustig en voorzichtig weliswaar, maar ik mag meedoen! Hoe chill is dat?! Vanochtend heb ik in het ziekenhuis mijn laatste controle gehad en de arts was heel tevreden. Ik heb ook steeds heel braaf de oefeningen gedaan die ik van de fysio had op gekregen om de spieren van de enkel sterker te maken. Dodelijk saai, maar allemaal voor het goede doel. De afgelopen weken waren sowieso saai. Man, ik ga echt dood, als ik niet mag turnen. Van louter ellende ben ik mijn huiswerk heel goed gaan doen en nu heb ik een onwijs goed rapport. Voor mijn doen dan.

Vandaag hadden we het laatste uur Nederlands en toen kregen we dus ons rapport. Ik heb bijna al mijn cijfers opgehaald. Pascal gaf mij een knipoog. Hij weet wel hoe het zit. Dat mijn ouders willen dat ik een zo hoog mogelijke opleiding doe, terwijl ik... Met dit rapport kan ik in elk geval naar TL en heel misschien ook nog wel naar de havo. Ik was natuurlijk blij, maar ik weet ook dat ik dit niveau waarschijnlijk niet kan vasthouden als ik weer op volle kracht ga trainen.

Het gaat allemaal nog behoorlijk moeilijk worden want papa en mama willen echt dat ik minimaal TL ga doen. Maar ik wil minimaal als vijfde eindigen bij het NK. En nu zien papa en mama dat het op school stukken beter gaat als ik niet turn. Eigenlijk dus wel een beetje stom van me om nu opeens zo hard te werken. Maar aan de andere kant, de meeste van mijn vriendinnen gaan TL doen en ik wil ze niet kwijtraken. Pfff de combinatie school en turnen is echt wel zwaar, maar dat geldt alleen voor mij, want Britt en vooral Sying doen het er fluitend bij. Britt zit in de tweede klas van het atheneum en Sying in de tweede klas van het gymnasium. Gymnasium notabene, de allermoeilijkste school die er is. En ze haalt vet hoge cijfers.

Nou ja, ik zie wel. Pas in april krijgen we een advies. En tot dan ga ik er gewoon niet aan denken.

Wat ook helemaal super is, is dat Mirte en ik weer beter met elkaar omgaan. Oma zei al steeds dat zoiets tijd nodig had. Dat ik beschaamd was in mijn vertrouwen in Mirte en dat dat vertrouwen weer heel langzaam moest groeien. Ik vond het wel een beetje gek, maar oma heeft gelijk gehad, zoals altijd eigenlijk.

Mirte en ik hebben in de afgelopen weken verschillende keren gewhatsappt, getwitterd en als ik in de weekenden thuis was, kwam ze op bezoek. Het is tussen ons nog niet weer helemaal zoals vroeger, maar het gaat echt stukken beter. De vertrouwdheid komt langzaamaan terug.

Natuurlijk had ik gevraagd of ze Kessel nog steeds leuk vond, maar daarop reageerde ze behoorlijk pissig. 'Die loser! Dacht het niet!' Ze is nu verliefd op een jongen van haar school, uit vier havo. Ze is echt helemaal hoteldebotel van hem en ze kan bijna nergens anders over praten. Nou ja, af en toe ook even over Jens.

Die twittert er ook nog steeds vrolijk op los.

@jenssingasong
Ik denk niet snel, ik denk niet gauw, maar als ik denk, denk ik aan jou.

Zó ontzettend lief. Volgens mij is hij echt helemaal smoor. Ik niet, niet smoor in elk geval. Hij heeft gevraagd of ik met oud en nieuw kom logeren en dat lijkt me wel leuk. Papa en mama denken er nog over.

De kerstdagen ben ik alleen met papa en mama want oma en Hugo zijn samen een hele week naar Parijs. Die twee hebben elkaar echt helemaal gevonden.

Zo cute.

Op tweede kerstdag brengt papa me voor een week naar Marieke en Jos, mijn gastgezin van vorig jaar. Dan begin ik weer met mijn turntraining. Fantastisch toch?

Eerder turnde ik in de vakanties thuis, bij Alma, maar omdat zij doordeweeks bij Hans woont, moet ik in de vakantie ook daar naartoe als ik wil trainen. En dat wil ik natuurlijk. Britt heeft zich er volgens mij wel mee verzoend dat Alma en Hans een setje zijn.

'Was je nou wel of niet verliefd op Hans?' vroeg ik haar laatst. Ze lachte. 'Weet ik veel. Een beetje misschien, maar nu in elk geval niet meer. Nu heb ik Olaf en dat is echt zo'n lekker ding!' Natuurlijk wilde ik alles weten over Olaf en ze vertelde dat hij bij haar in de klas zit en dat het op het kerstschoolfeest was aangeraakt. Nog niet echt, maar wel bijna.

'Hoezo bijna?' vroeg ik.

'Nou ja, we hebben toen wel gezoend, maar nog niet weer iets afgesproken.'

'En?' vroeg ik. 'Had je nog iets aan de tips?'

'Welke tips?' Britt trok een gek gezicht.

'Ja hallo,' zei ik, 'dat zul jij niet weten!' En ik rende gillend weg, toen Britt met opengesperde mond op me afkwam.

Toen ik vanavond papa en mama welterusten kwam zeggen en de kamerdeur open wilde doen, hoorde ik dat ze samen zaten te praten. Hun stemmen klonken best wel ernstig. 'Ook beter voor Fleur,' ving ik op. Ik bleef even staan of ik nog meer te horen zou krijgen, maar hun stemmen klonken nu heel gedempt. Ik deed de deur open en het was meteen stil.

'Waar praten jullie over?'

'Zomaar wat lieverd,' zei papa.

'Over mij?'

'Ook,' antwoordde papa. 'Wilde je naar bed gaan?'

'Ja.' Ik boog me over papa heen om hem een kus te geven.

'Kom je zo nog even?' vroeg ik aan mama.

Toen mama even later het dekbed tot aan mijn kin optrok en het lekker bij mijn rug instopte, probeerde ik natuurlijk nog wel even te vissen, maar mama zei dat het grote-mensen-zaken waren.

'En ik mag het niet weten?'

'Zodra wij het zelf weten, mag jij het ook weten,' zei mama vaag en na een laatste aai over mijn haren, verliet ze mijn kamer.

@fleurturnt
Pfff, papa en mama hebben een geheim en ik mag het (nog) niet weten. So what, ik ben gewoon blij. Alles komt goed.

Maandag 27 december

Vandaag deed ik weer voor het eerst mee met de turntraining en het was echt zó gaaf! Ik had een brace om mijn enkel en hij deed een ietsiepietsie pijn, maar dat ging ik natuurlijk echt niet zeggen. Ik had van tevoren alvast stiekem paracetamol gekocht én ook geslikt. Dat was een tip van Sying. Zij krijgt steeds meer last van haar rug, maar dat durft ze niet tegen haar moeder te zeggen. Ze heeft me dat verteld toen we een keer samen zaten te whatsappen. En ze slikt dus stiekem paracetamol.

Mijn oefening op de balk was wel even weer gruwelijk spannend. Eigenlijk durfde ik niet goed. Ik voelde me misselijk en mijn knieën knikten. Gelukkig was Alma er om me moed in te spreken. De losse radslag, de flikflak loopsalto en de losse overslag oefende ik eerst een paar keer gewoon op de vloer en toen deed ik het dus op de lage balk. Zomaar. En het ging goed! Ik bleef erop! Alleen had ik wel een paar flinke wiebels en dat komt volgens mij dan toch omdat ik een paar kilo te zwaar ben. Ik had vanochtend op de weegschaal gestaan en ik was gelukkig helemaal niets aangekomen, maar ook niet afgevallen. Daar moet ik me toch echt voor gaan inspannen. Als ik zie hoe gemakkelijk Sying zich beweegt, ondanks haar rug.

Ook mijn andere oefeningen gingen heel redelijk.

Hans knikte goedkeurend, toen hij me bezig zag. 'Zie je nu wel dat die periode van rust je niet zoveel kwaad heeft gedaan?'

Mmm, nou, ik weet het niet, ik had liever getraind om mijn oefeningen helemaal perfect onder de knie te krijgen. Britt en Sying zijn echt steen- en steengoed.

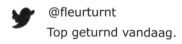
@fleurturnt
Top geturnd vandaag.

Donderdag 30 december

Ik ben zó boos op papa en mama. Ik mag niet met oud en nieuw naar Jens. Waar sláát dat op? Jens wil samen met mij, zijn zus Laurie en een aantal vrienden (ook nog een paar van Turkije) naar een megafestijn, dat precies om twaalf uur begint en waar hij drie liedjes moet zingen. En nu mag ik dus niet.

Ik was na de turntraining met de trein naar huis gekomen. Toen ik om half zeven de sleutel in het slot stak, rook ik al dat mama mijn lievelings- kostje had gemaakt. Lasagne! Heerlijk. Ik werd er meteen helemaal blij van, maar niet meer zo onbezorgd blij als vroeger, want meteen schoot door me heen dat er in lasagne heel veel calo- rieën zitten. Zucht.

Aan tafel begonnen papa en mama erover. Ze willen dat ik oud en nieuw thuis vier met hen en oma en Hugo, die morgen te- rugkomen uit Parijs. Dat vind ik ook best gezellig, maar ik had nu naar Jens gewild. Het leek me helemaal te gek om naar zo'n megafestijn te gaan.

'Komen jullie lekker op tijd mee zeg. Jens rekent op me hoor!'

'Daar komt die jongen heus wel overheen,' zei papa opgewekt. 'Of denk jij van niet?'

Mama schudde even waarschuwend haar hoofd tegen hem en dat maakte me nog bozer.

'Ik ben geen klein kind meer, hoor!' zei ik.

'Nee, maar we vinden je nog wel te jong om een hele avond op stap te gaan met een jongen van bijna zestien,' antwoordde mama rustig.

'Vijftien!' sputterde ik.

'Bovendien, op zo'n oudejaarsnacht zijn toch vaak allerlei op- stootjes en rellen. We willen niet dat je daarbij betrokken raakt,' voegde papa eraan toe.

'Alsof we daar naar toe gaan,' wierp ik tegen. 'Echt niet.'

'Nee, natuurlijk niet,' suste mama, 'maar soms raak je er zomaar in verzeild.'

'Echt niet,' zei ik nog een keer.

'Fleur, het gebeurt niet,' zei papa beslist. 'Je gaat na oud en nieuw maar een dagje naar die jongen toe, maar 's avonds kom je gewoon weer thuis. Voor jou geen feesten die tot ver na middernacht duren.'

'En ook geen logeerpartij bij een vriendje dat je nog maar net kent,' voegde mama eraan toe. 'Trouwens, ik dacht dat je de eerste week van januari wilde doortrainen, omdat je zoveel gemist hebt. Dan kun je het je niet eens permitteren om een nacht door te halen.'

'Maar dan ga ik de volgende avond om acht uur naar bed, of voor mijn part om zeven uur.'

'We hebben het er verder niet over, het gebeurt niet. Punt uit.'

Papa's stem klonk zo resoluut, dat ik wist dat het geen zin had om toch nog te proberen mijn ouders te overtuigen. Daarom draaide ik me om, knalde eerst de kamerdeur zo hard mogelijk achter me dicht en daarna de deur van mijn eigen kamer.

Ik plofte op bed neer en had zin om keihard te huilen. Ik realiseerde me hoezeer ik er toch op gerekend had dat papa en mama het goed zouden vinden.

Ik pakte mijn telefoon en twitterde boos:

🐦 @fleurturnt
 Ga megasaaie oudennieuw krijgen omdat mijn megastomme ouders me geen feest gunnen. Echt zo waardeloos.

Natuurlijk kreeg ik een heleboel tweets terug. Mijn vriendinnen raadden me aan om uit het raam te klimmen of weg te lopen. Vooral Mirte leefde erg met me mee. Ze stuurde me verschillende tweets achter elkaar.

@tweetiemirt
Dus jouw ouders ook.

@tweetiemirt
Alle ouders zijn hetzelfde. Hang them!

@tweetiemirt
Gedeelde smart is halve smart.

Ondanks mijn ellende moest ik toch een beetje lachen. Ja, Mirte wist wat het was, ouders die je dwarsboomden. Toen in Turkije had ik dat eigenlijk nog wel redelijk normaal gevonden, dat we niet uit mochten. Maar nu… Er kwam weer een tweet binnen. Weer van Mirte.

@tweetiemirt
Sluit je in je kamer op of zwijg ze dood, net zolang tot ze toegeven.

Pfff, nou, dan kende Mirte mijn ouders niet. Die zouden echt niet toegeven omdat ik een poosje niets zei. En dat hield ik zelf trouwens ook niet vol, dat wist ik nu al.
En Jens twitterde:

@jenssingasong
Jammer, jammer en nog eens jammer. Ik had nog wel speciaal voor jou een liedje gemaakt.

Ik kroop in bed, trok het dekbed over mijn hoofd en vond mezelf het allerzieligste, allerongelukkigste en allermeelijwekkendste meisje van de hele wereld met de meest belachelijk strenge ouders van iedereen. Nou ja, behalve Mirte dan, die van haar zijn ook streng, maar lang niet zo streng als de mijne volgens mij, want die laatste avond mochten we wel uit in Turkije.

Zaterdag 1 januari 01.30 uur

Wat een nieuws hebben we vanavond gehad. Niet echt vervelend of zo, nou ja, wel heel heftig. Er was hier even een mega drama. Voor mij gaat er na de zomer in elk geval van alles veranderen, maar ik weet nog niet precies hoe of wat en ik ben er helemaal een beetje onrustig van.

Het begon vanavond heel gezellig. Ik had me erbij neergelegd dat ik thuis zou blijven. Ach ja, ik kan gewoon niet zo lang boos blijven.

We gingen gourmetten. Oma en Hugo vertelden over Parijs en ze zagen er nog verliefder uit dan anders. Ze zaten heel vaak handje handje en ze lachten steeds tegen elkaar. Het zag er echt zó lief uit.

Bij het toetje zei oma een beetje plechtig: 'Ik wil jullie wat zeggen.'

Maar wat ze wilde zeggen, kregen we niet meer te horen, want de bel ging.

'Doe jij maar even open, Fleur,' zei mama met een knipoog.

Ik holde naar de deur, deed open en begon meteen te gillen. En Mirte, die dus met haar ouders voor de deur stond, gilde ook.

'Gillende keukenmeiden zijn er niets bij!' grapte Mirtes vader. Mama had hen dus uitgenodigd als een soort goedmakertje voor mij. Toch wel weer lief. Natuurlijk kletsten Mirte en ik samen op mijn kamer uitgebreid over haar lover uit havo 4 en over mijn Jens. Mirte vertelde dat het nu officieel aan was en dat hij Tomas heet. We hadden het natuurlijk over onze bemoeizuchtige ouders. Mirte had ook naar een feest gewild, maar dat mocht ook niet. We mopperden wat af met z'n tweeën en dat deed ons hartstikke goed. Even lekker afreageren.

Daarna vroeg ik haar of ze echt, écht verliefd was op Tomas.

'Ja, duh, wat dacht jij dan?'

'Hoe weet je dat dan?' vroeg ik.

'Ja, gewoon.' Mirte keek me opmerkzaam aan. 'Ben jij dan niet verliefd op Jens?'

'Ja, dat weet ik nou juist niet. Eerst dacht ik van wel, maar nu… Ik vind het wel jammer dat ik hem niet zie, maar dat ik niet naar dat feest kan, vind ik eigenlijk veel erger.'

'Nou, dan ben je misschien niet verliefd,' meende Mirte. 'Wat maakt dat uit? Als je maar lol samen hebt, toch?'

'Maar ik wil weten hoe het voelt om verliefd te zijn,' drong ik aan.

'Nou, ehm, je kunt alleen nog maar aan die ene jongen denken en je wilt ontzettend graag bij hem zijn.'

'O,' zei ik nuchter. 'Dan ben ik zeker verliefd op turnen, want daar denk vooral aan. Toen met mijn enkel… Je wilt niet weten hoe ik toen verlangde naar turnen.'

'Benieuwd hoe turnen zoent,' grapte Mirte.

We lachten. Het was ouderwets gezellig en het is nu ook weer echt he-le-maal goed tussen ons.

Gek is dat. Geen idee waardoor het precies komt, maar wat maakt dat ook uit. Oma had gewoon gelijk.

Soms hebben dingen wat tijd nodig. So what.

Om twaalf uur hadden we vuurwerk. Niet heel veel want dat vinden papa en mama zonde van het geld en de ouders van Mirte ook.

Om half een gingen Mirtes ouders en Mirte weer naar huis. Mirte en ik omhelsden elkaar uitgebreid en we spraken af gauw weer een keertje uitgebreid te shoppen.

Papa schonk mama, oma en Hugo nog een drankje in en ik wilde net naar bed gaan, toen oma plompverloren zei dat ze ging trouwen met Hugo.

'Moeder!' Mama sprong overeind en omhelsde oma. 'Wat fijn voor je!'

'Ja,' zei oma, 'ik had dat net al willen zeggen bij het toetje, maar toen kwam jullie bezoek binnen.'

We feliciteerden oma en Hugo en oma vertelde dat ze dat in Parijs besloten hadden.

'Maar...' oma keek een beetje schuldig naar papa, mama en mij, 'er is wel een probleem.'

'Je kunt niet meer voor Fleur zorgen,' zei papa rustig.

'Nee.' Oma zuchtte een keer heel diep. 'Ik heb zó tegen dit gesprek opgezien.'

Hugo legde zijn hand op die van oma. 'We hebben het er uitgebreid over gehad, maar wachten totdat Fleur ouder is, is geen optie. We zijn natuurlijk niet meer de jongsten en we willen genieten van de jaren die ons nog gegeven zijn. We willen veel gaan reizen en...'

'Maar hoe moet dat dan met mij?' Mijn stem klonk schril. 'Ik wil niet meer terug naar Marieke en Jos.'

Ik had er afgelopen week weer een paar dagen gelogeerd en het maar net volgehouden. De heimwee, die ik  kende van vorig jaar, had meteen de eerste dag alweer toegeslagen.

'Fleur!' Papa's stem klonk streng. 'Houd je gemak! We vinden er wel wat op.'

'Maar wat dan?' Ik was echt een beetje in paniek.

Oma veegde zenuwachtig met een zakdoekje langs haar ogen.

'Zie je nou wel,' zei ze tegen Hugo. 'Zie je nou wel! Ik kan mijn kleindochter niet in de steek laten.'

Hugo keek een beetje hulpzoekend naar mijn ouders.

Hoewel ik niet meer wist hoe het nu allemaal moest en een beetje hoteldebotel was, had ik medelijden met oma, die nu haar zakdoekje zat te verfrommelen. Ik liep naar haar toe en sloeg mijn beide armen om haar heen.

'Moeder.' Papa ging naast oma zitten en legde ook een hand op de hare. 'Moeder, je hebt ons al die jaren geholpen en daar zijn we heel blij om. Nu je deze mooie kans krijgt, moet je hem grijpen. Met ons komt het heus wel goed.'

'Maar hoe dan?' vroeg oma.

Papa en mama keken elkaar aan. 'Om eerlijk te zijn,' begon mama, 'vinden we al langere tijd deze situatie niet ideaal. Niet dat jij niet goed voor Fleur zorgt, hoor, moeder, maar Frans en ik missen haar doordeweeks heel erg. Nog een jaar of vijf en dan is Fleur volwassen. En nu breekt de puberteit aan en dat vinden we voor jou eigenlijk te zwaar. Vriendjes, dieet, turnen, allemaal dingen waarvan we vinden dat we daar als ouders dichterbij moeten zijn.'

Oma schudde haar hoofd. 'Het is me nooit te zwaar geweest.'

'Dat weet ik wel,' zei mama. 'Maar Fleur is onze dochter en wij moeten haar door de zware periode, die haar ongetwijfeld nog te wachten staat als ze doorgaat met turnen, helpen.

'Als ze doorgaat met turnen? Als ze doorgaat met turnen? Ik gá door met turnen, als je dat maar weet.' Het kwam er met zo'n felheid uit, dat ik er zelf van schrok. Ik liet oma los en kwam overeind.

'Lieverd,' zei mama, 'daar gaan papa en ik de komende tijd rustig over verder praten. We hadden het hier nu nog helemaal niet over willen hebben, maar omdat oma…'

'Maar turnen is mijn leven…' Mijn stem haperde en sloeg over. 'Alsjeblieft, mam, pap, alsjeblieft…' En opeens barstte ik in tranen uit. 'Ik maak het wel uit met Jens. En ik wil ook niet meer afvallen. Echt niet. Maar laat me alsjeblieft turnen. Ik ga desnoods wel weer bij Jos en Marieke wonen.' Ik liet me languit op de bank vallen en sloeg mijn handen voor mijn gezicht.

Oma en Hugo stonden op en verlieten de kamer. Papa en mama gingen beiden bij me op de bank zitten en mama klopte me op mijn rug.

Na een poosje pakte papa me stevig vast en zette me rechtop.

'Fleur, luister naar me. Je moet er niet meteen zo'n drama van maken. Dat is nergens voor nodig. Het komt heus goed.'

Charlie sprong op mijn schoot en probeerde mijn tranen op te likken. Ik moest er ondanks mijn verdriet toch een beetje om lachen, sloeg mijn armen om haar heen en knuffelde haar.

'Bah,' zei mama, maar ze lachte toch ook.

'Je moet leren om je niet bij de eerste de beste tegenslag als een dramaqueen te gedragen, Fleur,' ging papa nog even door.

'Ik bén geen dramaqueen!' zei ik.

'Gedraag je dan ook niet zo!' Papa streek even over mijn hoofd.

'Maar mag ik dan wel blijven turnen?' vroeg ik voor de zekerheid.

Papa knikte. 'Dat zeker.'

'Bij Hans en Alma?'

Pap en mam keken elkaar aan. 'Als dat uiteindelijk echt is wat jij wilt,' zei papa na een tijdje, 'dan…'

Ik knikte heftig van ja.

'Goed,' zei mama. 'Bij Hans en Alma.'

'Lilian,' zei papa een beetje verwijtend. 'Dat zouden we toch…'

'Wat?' vragend keek ik mama aan.

Die keek opeens een beetje ongemakkelijk. 'Nou ja, daar waren papa en ik nog over aan het praten,' zei ze. 'Je weet dat we een goede opleiding ook heel belangrijk vinden en de combinatie havo en turnen op het niveau waarop je dat nu doet, zal niet gaan.'

'Maar vmbo-tl is toch ook goed? Dan kan ik na mijn examen misschien nog naar de havo.'

'Aan vmbo-tl ga je ook een zware dobber krijgen, als je met turnen op dit niveau doorgaat. Het is nog maar de vraag of je dat lukt,' zei mama een beetje tobberig.

'Misschien wel,' zei ik. 'Als ik echt mijn stinkende best doe.'

'Maar vrienden en vriendinnen zijn ook belangrijk,' zei mama.

'Helemaal niet,' antwoordde ik.

'Lieverd, nou moet je geen onzin vertellen.' Mama's stem klonk beslist. 'Papa en ik zijn niet blind of onnozel. We zien toch hoe je altijd geniet als je met je vriendinnen bent of...' mama liet even een stilte vallen, '... of met Jens.'

De deur ging weer open en oma kwam binnen met Hugo. Ze keek nog steeds bedrukt. Ik sprong op om haar te knuffelen.

'Je bent de liefste omi van de wereld!'

'Kunst,' zei oma, 'je hebt er ook nog maar een.'

'Al had ik er tien,' overdreef ik, 'dan was je nog de liefste!'

Toen ik eenmaal in bed lag, kwam mama me onderstoppen.

'Het komt goed, dat beloof ik je,' fluisterde ze me in het oor.

'Hoe?' begon ik en ik wilde overeind komen, maar mama duwde me zachtjes terug. 'Dat hoor jij als eerste,' zei ze, 'zodra wij het weten. En nu slapen.' Ze drukte een kus op mijn wang en verliet zacht mijn kamer. Alhoewel ik doodmoe was, kon ik toch eerst niet slapen.

@fleurturnt
Omi gaat trouwen. Hoera! Omi gaat op reis. Snik.

Donderdag 6 januari

Toen ik vanochtend om zeven uur wakker werd, wist ik het meteen: vandaag zou ik bij Jens op bezoek gaan. Gewoon een dagje. Ik nam de trein van zeven voor negen en dan zou Jens me om kwart voor elf van het station halen. Ik ging onder de douche en waste mijn haren uitgebreid. Daarna ging ik op de weegschaal staan en zag tot mijn ellende dat ik weer een ons was aangekomen. Vlak na oud en nieuw was ik ook al een ons zwaarder geworden. Dat kwam natuurlijk door de feestdagen. Ik had wel geprobeerd om matig te eten, maar alles was steeds zo lekker geweest. Vanaf nu zou ik echt strenger worden voor mezelf.

Ik stond eindeloos te dubben wat ik aan zou trekken. Het werd uiteindelijk mijn nieuwe spijkerbroek met een heel gaaf vestje erop. Gelukkig kon ik mijn broek nog wel dicht krijgen. Gemakkelijk.

Maar om acht uur maakte een twittertweet een eind aan mijn droom.

@Jenssingasong
Hoofdpijn, spierpijn en buikpijn. Ben doodziek. Griep!

Een beetje ongelovig staarde ik naar de display van mijn telefoon. Dit was echt zo ontzettend balen. Ik zou Jens vandaag niet zien. Ik voelde me moedeloos en ook wel een beetje triest. Ik was dan misschien niet superverliefd, maar ik had me er toch op verheugd om hem te zien.

Na een tijdje raapte ik mezelf weer bij elkaar. Niks aan te doen.

Ik zou deze dag goed besteden. Ik zou gewoon een extra turntraining doen, maar eerst moest ik natuurlijk iets liefs naar Jens twitteren.

 @fleurturnt
Ik denk aan je. Beterschap.

Beetje cliché misschien, maar ik kon niets beters bedenken.
Gelukkig kon papa me brengen en mocht ik nog weer een nachtje bij Marieke en Jos logeren.
Hans en Alma waren verbaasd om me te zien.
'Heeft je vriendje het uitgemaakt?' vroeg Hans tactloos.
De meiden keken me nieuwsgierig aan.
'Nee, natuurlijk niet,' snauwde ik opeens. 'Jij altijd met je leuke opmerkingen.'
'Die toon van jou bevalt me niet erg.' Hans trok zijn meest ongenaakbare gezicht. 'Beetje dimmen graag en anders verdwijn je maar weer even snel als je gekomen bent.'
Ik had ongelooflijk veel zin om er vandoor te gaan, maar ik beheerste me. 'Sorry, hoor!' zei ik zo achteloos mogelijk en ik liep door naar de kleedkamer. Ik verwachtte half en half dat Hans me zou terugroepen, maar dat gebeurde niet.
In de kleedkamer wilden de meiden weten wat er gebeurd was. Ze hadden diep medelijden met me en probeerden me te troosten.
'Misschien morgen?' vroeg Britt.
'Of in het weekend?' Juno wreef me troostend over mijn rug.
Ik haalde mijn schouders op. 'Als hij zo ziek is dat hij vandaag niet kan afspreken, dan is hij morgen of overmorgen echt nog niet beter, denk ik.'
'Dat weet je niet,' deed Evi een duit in het zakje. 'Ik ken iemand die had de ene dag veertig graden koorts en die was de volgende dag gewoon weer beter.'

'Nou ja, ik zie het wel.' Bij de training sloofde ik me echt uit. Ik ontdekte dat als je maar hard genoeg werkt, je minder hoeft na te denken. Mijn oefeningen gingen goed en ik voelde mijn enkel bijna niet. Die paracetamol helpt echt prima.

 @fleurturnt
Turnen in plaats van daten met Jens!

Woensdag 19 januari

We hebben een gigarel op school. Gisteren is er op Hyves een profiel aangemaakt over Pascal. *Pascal vieze homo!* De beheerder is iemand die zich Betje Bom noemt, iemand zonder vrienden.

Verder staan er allemaal belachelijke dingen op. Een poll met de vraag *Waar dumpen we deze geflipte flikker?* Je kunt kiezen uit vier antwoorden: *in de zee, in de woestijn, in het moeras of op het kerkhof.* En een blog waarin Pascal echt in de zeik wordt gezet en verschillende haatkrabbels.

Ik had een vriendenuitnodiging gekregen, en nog meer mensen uit onze klas ook. Nou ja, iedereen eigenlijk. Echt heel gek. Op Hyves, op facebook en op twitter, iedereen had het erover en iedereen was verschrikkelijk verontwaardigd want Pascal is populair. Iedereen klikte op de 'dit is niet oké'-link, dus al snel was het profiel niet meer te zien.

Ik dacht aan Quina. Zou zij dit nepprofiel hebben aangemaakt? Er waren meer mensen uit de klas die aan Quina dachten.

Toen we vanochtend op school kwamen, was onze klas nog steeds in rep en roer. Ik keek stiekem naar Quina en haar vriendinnen, maar die zagen er net zo verontwaardigd uit als de rest.

'Nou Betje, je hebt wel succes met je actie,' opende Tirza de strijd.
'Waar slaat dat op?' Quina leek echt geschokt. 'Denken jullie dat ik...?'
'Ja, dat denken we,' viel Anne Lynn bij.
'Jullie zijn gek!'
'Of jij!' zei Myrthe.
Dit keer kwamen Quina's vriendinnen wel voor haar op, zodat we een schreeuwende ruzie hadden in de kantine.
'Yeah, echte bitchfight, zet 'm op!' Tara was er natuurlijk als de kippen bij.
Quina hield bij hoog en bij laag vol dat zij dit niet had gedaan. 'Ik zou zoiets echt nooit doen!'
'O nee, en toen met Boele dan?' vroeg ik.
'Dat was iets heel anders,' probeerde Quina zich te verdedigen.
'Echt niet,' zei Myrthe.
'Betje sletje flikker op!' schreeuwde Tirza.
De andere meiden namen dat over. 'Betje sletje flikker op! Betje sletje flikker op!'
Toen barstte Quina in snikken uit. Anais en Mauve sloegen hun armen om haar heen. 'Kom, we gaan het zeggen,' zei Robinetta.
'Ah gos,' deed Anne Lynn quasi medelijdend. 'Ze gaan het zeggen. Tegen wie dan? Tegen Pascal misschien?'
'Dat gaat je niks aan.' Robinetta trok haar vriendinnen mee de kantine uit.

We hadden het eerste uur Engels en de klas gonsde van het gefluister. We hadden nog maar net onze boeken uit de tas gepakt, toen de deur openging. Quina en haar groepje kwamen binnen, direct gevolgd door de conrector, mevrouw Mellema. Ze praatte even met de docent en wendde zich toen tot ons.

'Dat is niet zo best,' begon ze. 'Ik hoorde van Quina, Mauve, Anais en Robinetta dat er gisteren op Hyves een profiel is verschenen over meneer Durink. Weten jullie daar meer van?'

'Nee, alleen dat heel veel mensen uit deze klas een vriendenuitnodiging kregen,' vertelde Sem.

'En waarom zou dat zijn?'

'Misschien omdat wij zijn mentorklas zijn?' veronderstelde Cato.

'En waarom beschuldigt iedereen Quina, als ik vragen mag?' Mevrouw Mellema keek onderzoekend de klas rond.

'Omdat zij vorig jaar ook met Boele...' begon Anne Lynn.

'Pardon?' Mevrouw Mellema trok haar wenkbrauwen op. 'Pardon? Dat slaat toch helemaal nergens op.'

Anne Lynn werd een beetje rood. 'Nou ja,' stotterde ze. 'Nou ja...'

Tirza kuchte. 'Quina stelde zich nogal aan met Pascal.'

'Hoe bedoel je dat?' vroeg mevrouw Mellema.

'Nou ja, we dachten dat Quina verliefd was op Pascal en dat ze ervan baalde toen ze hoorde dat hij...' Tirza kuchte weer. 'Dat hij eh homofiel was.'

'Ah,' zei mevrouw Mellema. 'Zit het zo? Heeft iemand nog iets toe te voegen?'

Niemand zei een woord.

'Luister heel goed naar mij.' Mevrouw Mellema keek streng de klas rond. 'Ik heb van Quina gehoord dat jullie als klas samen ervoor gezorgd hebben dat dat profiel niet meer te zien is, door op "niet oké" te klikken. Dat hebben Quina, Mauve, Robinetta en Anais ook gedaan, hebben ze mij verteld. Dat vind ik heel goed van jullie. Wat ik niet goed vind, is dat jullie iemand beschuldigen zonder dat je bewijs hebt. Dat kan absoluut niet. Denk daar maar eens over na. En ik waarschuw jullie: als jullie Quina niet met rust laten, dan zijn jullie nog niet jarig!' Quina zat met een heel bleek gezicht in de klas, haar ogen nog rood van het huilen en voor het eerst twijfelde ik. 'Krokodillentranen!' fluisterde Anne Lynn. Maar om eerlijk te zijn geloofde ik Quina.

Later in de pauze praatten we er natuurlijk over door. Ook Myrthe geloofde niet dat Quina er iets mee te maken had. Alleen Anne Lynn en Tirza bleven volhouden dat het net iets voor Quina was. We kregen er een beetje ruzie over die Tara, Karlijn, Cato, Romy en Renee eerst probeerden te sussen, maar daarna kozen Karlijn en Cato onze kant en Tara koos de kant van Anne Lynn en Tirza. Romy en Renee kozen geen partij. Die gingen gewoon lekker met z'n tweeën aan een tafeltje zitten, zoals eigenlijk altijd.

 @fleurturnt
Megarcl op school door haatprofiel op Hyves.

Zondag 30 januari
Vandaag had ik mijn eerste wedstrijd sinds mijn enkelblessure en ik was zó ongelooflijk zenuwachtig. Niet dat die wedstrijd nu meteen heel erg belangrijk was of zo, het was gewoon een oefenwedstrijd. Maar toch.
Toen ik uit bed kwam, deed mijn enkel notabene pijn. Ik kon het bijna niet geloven. Hoe was dat nou toch mogelijk? Gisteren bij de training had ik nergens last van gehad en dat zonder ook maar een paracetamolletje.
Ik nam meteen in de badkamer twee paracetamolletjes in. Ik had ze nog maar net doorgeslikt of mama kwam binnen.

'Wat doe je?' vroeg ze.

'Niks, ik drink gewoon een beetje water.'

Ze keek me onderzoekend aan. 'Alles goed met jou?'

'Ja hoor, alleen een beetje zenuwachtig.'

'Nergens voor nodig toch?'

'Nee hoor.'

'Of heb je last van je enkel?'

'Nee hoor,' zei ik nog een keer en ondertussen vroeg ik me af hoe het kon dat ze nou net dát vroeg.

Toen mama de badkamer uit was, ging ik op de weegschaal staan. Yep, ik was drie ons afgevallen. Na de vakantie was ik echt gaan lijnen en na een week was ik drie ons kwijt. Nou ja lijnen, ik kocht geen lekkere dingen meer in de super. Geen chips, geen kaasbroodjes en geen frikadellen. Als ik zin in iets had, nam ik gewoon een appel of een boterham met appelstroop. En het werkte. Ik was nu in totaal negen ons afgevallen. Dat was al bijna een kilo!

Gelukkig hielpen de paracetamolletjes goed, zodat ik geen pijn meer had toen we bij de turnzaal kwamen.

Ik voelde me misselijk van spanning. Hoe zou mijn eerste wedstrijd sinds tijden gaan? In de kleedkamer kleedden we ons om en gelukkig was Alma er om me gerust te stellen. Zoals gewoonlijk slaagde ze erin mijn gedeukte zelfvertrouwen weer een beetje op te krikken. Ze zei dat ik de afgelopen maand supergoed getraind had en dat ik me nu moest focussen op mijn ademhaling. Vier tellen inademen door je neus en vier tellen uitademen door je mond. Ik werd er meteen een stuk kalmer en zelfverzekerder van.

Even was er nog gedoe met Sying. Die werd ineens helemaal niet goed. Ze zag spierwit en begon als een gek te bibberen. Ze was helemaal in paniek. 'Ik ga dood! Ik ga dood!'

Iedereen schrok zich natuurlijk kapot en het werd muisstil.

Alma, die net de zaal in wilde gaan, kwam meteen terug en drukte tot mijn stomme verbazing haar hand op Syings mond. 'Rustig ademen!' beval ze. 'Heeft iemand een plastic zakje?' vroeg ze vervolgens.
Juno haalde haar broodje uit haar boterhamzakje en gaf het aan Alma.
'Hierin ademen.' Alma hield het zakje voor Syings mond. 'Je hyperventileert.'
Na een paar minuten kwam de kleur op Syings gezicht een beetje terug, maar ze bleef toch wel behoorlijk bleek.
'Heb je dit vaker?' vroeg Alma.
'Nee, nooit!'
'Ben je zenuwachtig?'
'Beetje wel. Niet tegen mijn moeder zeggen alsjeblieft, en ook niet dat ik hyperventileerde.'
'Ik zeg niets,' beloofde Alma.
Sying zuchtte een keer heel diep.
'Ik zei het net ook al tegen Fleur, maar het geldt eigenlijk voor jullie allemaal: als je je gespannen voelt, concentreer je dan op je ademhaling. Langzaam inademen door je neus en langzaam uitademen door je mond. Daar word je rustig van,' zei Alma. 'En,' voegde ze eraan toe met een klein lachje, 'je voorkomt dat je gaat hyperen.'
Iedereen begon heel langzaam in- en uit te ademen.
'Kom, jullie moeten inturnen. Sying, weet je zeker dat het gaat lukken?' Alma legde even haar hand op Syings schouder.
Sying knikte, maar ze keek bedrukt.
Toen we bij de balk stonden te wachten op onze beurt om in te turnen, vroeg ik haar: 'Heb je pijn?'
'Ja.'
'Heb je geen paracetamol genomen?'

'Ja, twee, voor ik van huis ging, maar het helpt niet genoeg.'

'Dan neem je er toch nog twee,' zei ik.

'Teveel is niet goed.'

'Nee, maar pijn is ook niet goed,' zei ik.

'Dat is zo.'

Even later zag ik hoe ze haar oefening op de balk deed. Die meid had echt een ijzeren discipline want het ging perfect. Alleen aan de verbeten trek om haar mond kon ik zien dat ze pijn had, omdat ik het wist, want voor ieder ander kon het ook gewoon een uiting van opperste concentratie zijn.

Ook mijn inturnen ging goed. Ik viel wel een keer van de balk, maar Alma zei dat dat juist goed was. 'Die val maak je straks dus niet meer!'

Toen de wedstrijd begon, voelde ik me ineens heel rustig. Mijn eerste onderdeel brug ging perfect. Dat gaf me zoveel zelfvertrouwen dat ik ook een vlekkeloze balkoefening turnde. Mijn losse radslag en overslag twee keer achter elkaar gingen helemaal goed. En ik had bijna geen wiebels. Eentje maar. Ik kreeg zoveel punten als ik nog nooit eerder voor een balkoefening had gehad. Zo ontzettend cool.

Ook mijn twee grootste concurrentes, Britt en Sying, deden het goed, maar ik had de meeste punten voor mijn balkoefening. Sying haalde bijna het maximale aantal punten bij brug. Tijdens haar vloeroefening maakte Sying een paar bloopers, waardoor ze onder Britt en mij eindigde. Het was gênant om Syings moeder naar haar dochter te horen roepen. Gênant en zielig. Natuurlijk was ik blij voor mezelf, maar ik vond het echt zielig voor Sying. Britt niet, die fluisterde een paar keer 'lekker net goed' in mijn oor. Maar nee, dat vond ik echt niet. Natuurlijk had ik liever gehad dat Sying gewoon in China gebleven was, maar ik had zwaar medelijden met haar. Je zult maar zo'n fanatieke moeder hebben.

Britt en ik deden een heel mooie vloeroefening met een paar kleine schoonheidsfoutjes waarvoor we allebei hetzelfde aantal punten kregen.

Het zou nu afhangen van sprong. Ik voelde hoe mijn ademhaling hoe langer hoe meer ging jagen. Naar je buik, dacht ik steeds bij mezelf. Focus op je buik. Gelukkig hielp het en werd ik weer wat rustiger. Ik had uiteindelijk een goede sprong, maar zeker niet perfect. Britt en Sying deden het allebei beter. Uiteindelijk eindigde Britt als tweede, ik als derde en Sying als vijfde. In de kleedkamer kon ze haar tranen niet bedwingen. Ik snapte wel waarom. Toen bekend werd gemaakt wie de eerste, tweede en derde plaats hadden behaald en ik als laatste prijswinnaar het erepodium beklom, had ik natuurlijk naar boven gekeken. Naar papa en mama die trots naar me lachten en in hun handen klapten. Mijn blik gleed ook even langs de andere mensen en ik zag nog net hoe de moeder van Sying naar haar dochter keek. Brrrr. Echt niet leuk!

 @fleurturnt
Jippiejajee! Brons gehaald vandaag.

Donderdag 17 februari

We zaten bij Nederlands nog maar net in het lokaal, of Pascal ging op de voorste bank zitten.

'Ik wil met jullie praten,' zei hij. 'Over dat Hyves profiel dat een poos geleden is aangemaakt.'

Iedereen spitste natuurlijk meteen zijn oren en keek hem afwachtend aan. Na het verschijnen van dat afschuwelijk gemene profiel, had Pascal meteen met ons gepraat. Hij had gezegd dat hij een vermoeden had wie dat profiel had aangemaakt en dat hij het zou uitzoeken. Hij had ook gezegd dat hij ervan overtuigd was dat echt niemand van onze klas dat had gedaan.

In de tussentijd was er in de klas (en ook in de hele school trouwens) heel wat over gepraat. Doordat Pascal had gezegd dat hij een vermoeden had wie het gedaan had en niemand uit onze klas verdacht, was er gelukkig geen onenigheid meer. Het enige wat Anne Lynn had gezegd: 'Quina heeft het dan wel niet gedaan, maar het was net iets voor haar geweest. Toch?'

Maar daar had niemand op gereageerd.

Pascal schraapte zijn keel. 'Ik had een vriendin, maar ik heb het een poosje geleden uitgemaakt, omdat ik meer van mannen houd.'

Dus toch! Pascal was dus echt homo.

'Ik kreeg een vriend en...'

'Die blonde?' vroeg Cato.

'Ja, mijn vriend is blond,' zei Pascal. 'Hoezo?'

'Ik zag jullie een poos geleden verf uitzoeken.'

'Ja, dat kan. We hebben ons huis geverfd. In elk geval, mijn ex was zo woest dat zij dat profiel aanmaakte. Zij had jullie namen uit mijn agenda en ze heeft jullie opgezocht op Hyves.'

'Hallo,' zei Anne Lynn. 'Waar sláát dat op?'

'Nee, dat slaat nergens op, maar ze deed het.'

'Hoe weet je dat?' vroeg Sem.

'Ik heb het haar gevraagd en ze gaf het eigenlijk meteen toe, ook omdat ze er alweer spijt van had. Het was haar bedoeling om het mij hier op school onmogelijk te maken.'

'Nou, dat is dan niet gelukt!' zei Anne Lynn laconiek.

'Nee,' zei Pascal.

'Dacht jouw vriendin dan dat wij hier op school niet van homo's houden?' vroeg Tara.

'Ik houd ook niet van homo's!' Dat was Djoerie. Een aantal jongens lachte.

'Doe niet zo achterlijk!' Tirza keek woedend.

'Nee, ik houd van meisjes!' zei Djoerie.

Nu lachte de hele klas en Pascal ook.

'O, bedoel je dat! Zeg dat dan meteen! Ik dacht dat jij een homohater was,' zei Anne Lynn.

En toen praatten we met de klas over homoseksualiteit. Pascal zei dat het wel mooi uitkwam omdat de minister van onderwijs wil dat hier op school over wordt gesproken. 'De minister wordt op haar wenken bediend,' grapte hij, 'zomaar een echte homoleraar voor de klas!'

'Eigenlijk houd ik ook van vrouwen,' ging Pascal verder, 'maar sinds kort weet ik dus zeker dat ik een relatie met een man wil.'

'Dan kun je dus nooit kinderen krijgen,' zei Cato.

'Wel adopteren, net als Paul de Leeuw,' zei Tara. 'Die heeft twee jongetjes geadopteerd.'

Pascal zei dat hij dat misschien ook wel wilde, maar dat hij dat nu nog niet wist.

Pascal vertelde ook dat heel veel jongeren super onzeker zijn als ze ontdekken dat ze homo of lesbo zijn en dat ze daar dan niet voor uit durven komen omdat ze bang zijn om gepest te worden.

'Hoe oud was jij dan toen je wist dat je homo was?' wilde Tara weten.

'Een jaar of veertien. Ik was wel verliefd op meisjes, maar ook op jongens en dat vond ik eigenlijk heel eng. Raar ook... Dus had ik verkering met meisjes en pas toen ik in de eindexamenklas zat, kreeg ik voor het eerst iets met een jongen.'

'Net als Edwin uit GTST dus eigenlijk,' zei Cato.

'Maar die is nu dood,' kwam Anaïs.

'Wat maakt dat nou uit?' vroeg Anne Lynn een beetje kribbig. 'Nou, dat mag ik toch wel zeggen?'

'Tuurlijk mag je dat zeggen,' suste Pascal. 'Het is best bijzonder dat zo'n soap het thema homoseksualiteit aansnijdt. Dat zal er hopelijk voor zorgen dat mensen het steeds gewoner gaan vinden.'

'Nou, ik vind het al heel gewoon,' zei Anne Lynn en een aantal meiden viel haar bij.

'Gelukkig.' Pascal stond op. 'Dan kunnen we nu met de les beginnen.'

'En als we het niet gewoon hadden gevonden?' vroeg ik. 'Waren we dan nog niet met de les begonnen?'

'Uitgekookte meiden zijn jullie.' Pascal haalde een boek uit zijn tas en hield het omhoog. 'Nee, dan had ik jullie uit dit boek voorgelezen!' Het boek heette *Gebr.* en was geschreven door Ted van Lieshout. 'Een prachtig verhaal,' zei Pascal, 'en ik wil het jullie graag laten horen.'

'We zijn geen kleuters, hoor!' riep Pepijn.

'Houd toch je bek, Pepijn!' sneerde Quina. 'Anders blijft je jeweetwel altijd zo klein!'

Alhoewel het een oud en flauw grapje was, begon iedereen toch weer keihard te lachen.

Pepijn plofte natuurlijk en Pascal had zijn handen eraan vol om hem te kalmeren. Hij zei dat Quina moest stoppen met zulke opmerkingen. 'Je zit niet meer op basisschool.'

Toen de rust eenmaal was teruggekeerd, begon Pascal te lezen en bleef het muisstil. Iedereen luisterde ademloos. Het uur vloog voorbij en bijna iedereen vond het jammer toen de bel ging.

'Ga je volgende keer verder?' vroeg ik.

'Ja, maar niet het hele uur. Aan het eind van de les een kwartiertje, anders krijgen we het lesprogramma van dit jaar niet af. Denken jullie er trouwens om dat je volgende week een toets grammatica hebt? Vragen kun je de volgende les nog stellen.'

Ik zuchtte. Weer een toets. De zoveelste. Gek werd ik ervan. Nu ik weer turnde had ik weer veel minder tijd om te leren. Maar het moest.

@fleurturnt
Toetsen, toetsen en nog eens toetsen. Gek word ik ervan.

Woensdag 23 februari

Vanochtend hadden we met alle tweedeklassers in de kantine een les over de gevaren van de sociale media. En 's avonds was er voor de ouders een lezing over 'pubers en de gevaren van de sociale media'. Iedereen vond het allemaal maar de dikste flauwekul denkbaar.

'Pfff, ik kan heus wel voor mezelf zorgen, hoor!' zei Quina arrogant. 'Ik weet allang wat de gevaren zijn.'

Rumoerig zocht iedereen een plaatsje en ik keek nieuwsgierig naar de man die zo'n honderdvijftig leerlingen ging toespreken. Hij zag er nog heel jong uit. Twintig of zo.

'Wie heeft wel eens gehoord van een gehackte webcam?' begon de socialmediaman.

Er gingen een paar vingers de lucht in, maar de meeste kinderen hadden nog nooit van zoiets gehoord.

De socialmediaman vertelde dat in Duitsland een man was aangehouden die de webcams van honderden meisjes had gehackt waardoor hij in hun slaapkamer kon kijken. Onder een valse naam legde hij in chatrooms het contact met de meiden en na enkele gesprekken stuurde hij hun zogenaamd een foto, maar in werkelijkheid was dat een softwareprogramma waardoor hij ongemerkt de computer van zijn slachtoffers kon overnemen om de webcam te activeren. In een paar maanden tijd maakte hij drie miljoen foto's van honderden meisjes: meisjes die zich uitkleedden, meisjes die hun tanden poetsten, zich afschminkten en meisjes die in bed lagen, sommige mét vriendje.

'Jakkes,' zei Tirza hartgrondig. 'Wat een horror!'

Er klonk overal geroezemoes.

'Net een enge film, hè?' zei de socialmediaman. 'Maar dit is dus echt gebeurd!'

'Hoe is dat ontdekt?' vroeg iemand.

'Een vader van een van die kinderen vond dat zijn computer opeens zo traag werkte en hij liet er een computerexpert naar kijken. En die ontdekte wat er aan de hand was.'

'Is die man gepakt?' wilde een ander weten.

'Jazeker en hij heeft drie jaar gevangenisstraf gekregen.'

'Terecht!' riep een jongen en hij kreeg veel bijval.

'Bedenk heel goed dat in chatrooms mensen zich heel anders kunnen voordoen dan ze in werkelijkheid zijn. Die lekkere zeventienjarige hunk, met wie jij denkt te chatten, is in werkelijkheid misschien wel een oude man met een vette bierbuik die in zijn blootje achter de computer zit. '

'Jakkes,' zei Tirza weer.

'Of die leuke vijftienjarige meid met wie jij zo'n leuk contact hebt, is een vrouw van veertig.'

Hij hield eigenlijk best wel een boeiend verhaal en er werd goed geluisterd. Hij sloot af met een aantal internet do's en don'ts.

Do's

- Zeg alleen op internet wat je ook in real life tegen iemand zou zeggen.
- Denk goed na over de privacyinstellingen van je profiel; voor wie wil je wel en voor wie wil je niet zichtbaar zijn op bijvoorbeeld hyves en facebook.
- Bedenk dat iedereen alles wat jij twittert kan lezen; een twitterprofiel is namelijk in principe openbaar.
- Accepteer alleen mensen die je kent.
- Reageer vlot op berichtjes en zeg aardige dingen.
- Onthoud bij alles wat je online zet, dat dat ook vele jaren later nog terug te vinden zal zijn.
- Houd je wachtwoorden geheim: altijd!
- Log uit, om te voorkomen dat een ander uit jouw naam berichtjes verstuurt.
- Bedenk altijd dat mensen op internet heel anders kunnen zijn dan ze zeggen te zijn.
- Koppel je webcam los als je 'm niet gebruikt of hang er iets voor.
- Installeer een goede virusscanner.

Don'ts

- Zet geen persoonlijke gegevens online. Geen naam van de school, geen adres, telefoonnummer en e-mailadres.
- Laat je niks wijsmaken en ga niet op mooie beloften in.
- Spreek niet in je eentje af met iemand die je alleen online kent.
- Reageer niet op ruzies en scheldpartijen; je kunt er last mee krijgen en het is slecht voor je image.
- Kwets of beledig anderen niet.
- Zet geen gegevens of foto's van anderen online zonder hun toestemming.
- Installeer nooit zomaar een programma dat je via internet krijgt; het kan een virus bevatten of erger: je computer openzetten voor andere internetgebruikers.

Maandag 28 februari

Vandaag had ik een superdag want het was én de eerste dag van de krokusvakantie én Jens kwam bij me op bezoek. Ik zou eerst naar hem toe gaan, maar het kwam Jens beter uit mijn kant op te komen, want hij heeft vanavond bij ons in de buurt een afspraak om op te treden.

'Ga jij dan mee?' had hij gevraagd. 'Gaan we na afloop uit.'
Maar dat hadden papa en mama geen goed idee gevonden.
'Je bent nog maar dertien,' had mama gezegd. 'En je wilt toch niet doodmoe en draaierig van de slaap in de turnzaal staan? Dat gaat echt niet Fleur. Als je gaat voor het turnen, dan ga je er ook voor en dan…'
'Jaja, houd maar op. Ik ga al niet meer.'
Mijn ouders zijn echt over- en overbezorgd en ik word af en toe gek van hun bemoeizucht.

Aan de andere kant, ik ben natuurlijk wel heel druk aan het trainen en het gaat goed. Ik hoef gelukkig geen paracetamol meer te slikken, maar ik heb nog wel steeds mijn enkelbrace om. Morgenochtend om negen uur moet ik weer in de turnzaal staan en dus kan ik eigenlijk ook niet de avond ervoor uitgaan. Wel een beetje jammer.

Om tien voor elf was ik op het station want de trein van Jens zou om 10.58 uur aankomen.

De trein reed precies op tijd binnen en even later sprong Jens op het perron. Hij sloeg zijn armen om me heen. 'Ik heb je gemist!' En dit keer zoende hij me op mijn lippen.

Ik voelde me overdonderd en ook ongemakkelijk. Gelukkig liet hij me al snel los en we slenterden samen het station uit.

Het was wel gek, ik vond hem nog steeds leuk, maar dat was het dan ook. Ik was echt niet (meer?) verliefd.

We kletsten over school en dat het steeds zo onwijs druk was met elke week wel weer een paar toetsen. Toetsterreur, noemde Jens dat. Toetsterreur, wat een woord!

Jens dacht dat hij dit jaar havo 4 wel zou moeten overdoen. 'Het komt door mijn carrière,' zei hij. 'Zingen is voor mij het belangrijkste en dan heb ik gewoon niet zoveel tijd voor school.'

Nou, dat herkende ik natuurlijk wel. Het is dat ik papa en mama beloofd heb om mijn stinkende best te doen, maar anders... Nu ik weer zoveel turn, zijn mijn cijfers stukken minder geworden. Voor de meeste vakken sta ik net een voldoende.

Aan het eind van de middag gingen we een pizza eten en eigenlijk waren we toen ook wel een beetje uitgepraat. Af en toe vielen er stiltes die we op de een of ander manier niet goed konden opvullen.

Om eerlijk te zijn was ik best blij toen het tijd was om Jens naar de trein te brengen.

Op het perron trok hij me tegen zich aan. 'Jammer dat je niet meegaat.'

'Ja.' Ik probeerde me een beetje los te wringen.

'Volgende keer kom je bij mij.' Hij boog zijn gezicht naar me toe en zoende me. De bedoeling was om me weer op mijn mond te zoenen, maar omdat ik mijn hoofd wegdraaide, zoende hij mijn oor.

Op dat moment kwam de trein binnen en liet hij me los. Ik sloeg mijn armen om zijn nek en zoende hem op zijn wang. Weer probeerde hij mij op mijn mond te zoenen en dit keer kwam zijn zoen in mijn mondhoek terecht. Daarna zwaaide ik hem, een beetje opgelucht, uit.

Zaterdag 5 maart

Vanavond hadden papa en mama een etentje georganiseerd voor oma, Hugo en mij. We gingen naar een heel chique restaurant.

'Waarom?' vroeg ik.

Mama lachte een beetje geheimzinnig. 'Omdat we een aantal dingen te bespreken hebben.'

'Over mij?'

'Onder andere!'

'Wat dan?'

'Dat hoor je vanavond.'

Ik wist dat het geen zin had om verder te vissen. Dat had ik de afgelopen weken al verschillende keren gedaan, maar zowel papa als mama had niks willen zeggen. En nu dus zou ik vanavond de plannen horen. Was het maar vast vanavond.

Bij de training kostte het me moeite om de nodige concentratie op te brengen en dat merkte ik natuurlijk meteen. Ik had echt een paar enorme bloopers en ik kreeg een stevige uitbrander van Alma.

Daarna ging het wel een ietsiepietsie beter, maar ik moest toch steeds denken aan de dingen die papa en mama te bespreken hadden.

Eindelijk zaten we dan om zeven uur aan tafel en toen oma en Hugo er ook waren, was ik niet meer te houden.

'Vertel! Vertel!'

'Nou vooruit dan maar,' zei papa, nadat hij voor iedereen wat

te drinken had besteld. 'Er zijn grote veranderingen op komst.'
'Wat dan?' Zeg dan!' Ik voelde me helemaal wiebelig en krie-
belig.
'Ten eerste gaan we verhuizen zodat Fleur én bij Hans kan turnen én weer gewoon bij ons kan wonen.'
       'Hoe...' begon ik. Ik voelde me ineens ontzettend
opgelucht. Ik had er natuurlijk best veel over ge-

dacht, over hoe dat nu moest na de zomer als
oma niet meer voor mij ging zorgen. Ik had gedacht dat ik dan wel weer bij Marieke en Jos zou
gaan wonen. Dan zou ik mijn heimwee op de
koop toe moeten nemen. Ik zou moeten leren dea-
len met het gevoel van 'je niet thuis voelen' en wanhopig verlangen naar je eigen huis en je eigen mensen. Steeds
weer als ik eraan dacht, had ik een knoop in mijn buik gevoeld
en nu... Ik zat helemaal te stuiteren op mijn stoel. Wat was ik
blij!
'Ik ga minder werken,' zei mama. 'Veel minder. In elk geval
de komende jaren. Als jij eenmaal volwassen bent, zie ik wel
weer. Ik heb gesolliciteerd en ik ben aangenomen voor zestien
uur.'
'En papa dan?' vroeg ik.
'Papa gaat eerst heen en weer reizen,' zei mama.
'Dat is wel behoorlijk ver,' zei oma.
Papa lachte. 'Ik ga een dag in de week thuis werken. Op maan-
dagochtend ga ik naar mijn werk en dan overnacht ik in een
hotel of ik huur een kamer. Op dinsdagavond kom ik thuis.
Woensdag werk ik dan thuis. Donderdagochtend ga ik weer
terug en dan kom ik vrijdagavond weer thuis.'
'Dat klinkt goed,' zei Hugo.
'Dat vinden wij ook,' zei papa. 'We vinden het belangrijk om
weer samen met Fleur een gezin te zijn.'

'Ja,' zei mama. 'Maar niet alleen met Fleur.'

'Komt Britt ook bij ons wonen?'

Maar mama schoot in de lach. 'Nee natuurlijk niet.'

'O nou, zo gek is dat toch niet?' Ik was een ietsiepietsie beledigd. 'Wie dan?'

'Dat weten we nog niet, maar papa en ik hebben ons aangemeld als pleeggezin voor een ama,' zei mama.

'Een ama? Wat is dat?'

'Dat is een alleenstaande minderjarige asielzoeker.'

'Hoe komen jullie daar nu zo opeens bij?' vroeg oma.

'Niet opeens,' zei mama. 'We denken er al wat langer over. Door alle publiciteit rond Mauro, zijn we op het idee gebracht. Er zijn in Nederland nogal wat Mauro's en die hebben heel hard een gezin nodig om in op te groeien.'

'Hebben jullie daar goed over nagedacht?' Oma keek een beetje bezorgd. 'Dat lijkt me bepaald niet gemakkelijk.'

'Nee,' gaf mama toe, 'misschien niet. Maar we denken dat het goed is dat wij ons beschikbaar stellen om zo'n kind dat hier moederziel alleen is op te vangen.'

'Wanneer komt die ama dan?' wilde ik weten. 'En doen we een jongen of een meisje en hoe oud?'

'Lieve schat, rustig een beetje,' zei papa. 'Mama en ik hebben ons nog maar net opgegeven en we moeten eerst nog een cursus doen. En dan moeten we ook nog verhuizen en dan pas…'

'Mag ik het aan mijn vriendinnen vertellen?'

'Ja natuurlijk, het is geen geheim.'

'Ik hoop dat het een meisje wordt,' zei ik. 'Dan heb ik eindelijk een zusje.'

'We zullen wel zien,' zei papa.

'En hoe oud dan?' wilde ik weten.

'In elk geval jonger dan twaalf, want alleenstaande minderjarige asielzoekers boven de twaalf worden meestal in een in-

stelling opgevangen,' vertelde mama.
En toen praatten papa en mama natuurlijk
nog uitgebreid over hun plannen met oma
en Hugo, maar ik hoorde de helft niet, want
ik kon alleen maar denken aan de verhuizing en de komst van misschien een zusje,
nou ja, een soort van zusje dan.

🐦 @fleurturnt
  Leukleukleukleukleuk. Ik krijg een soort van zusje (of broer-
tje) uit een heel ver land.

Zondag 20 maart

Vandaag was een belangrijke dag want ik had mijn eerste
plaatsingswedstrijd, maar ik was dit keer niet erg zenuwachtig.
De trainingen van afgelopen weken waren steeds behoorlijk
vlekkeloos verlopen. Ik beheerste mijn oefeningen gewoon
goed en ik had weinig bloopers gehad. Ik had nog wel steeds
mijn brace om, gewoon voor een beetje extra stevigheid en ook
voor mijn zelfvertrouwen, maar volgens Hans zou ik ook wel
weer zonder kunnen.
'Pas op dat je je enkel niet te erg verwent,' zegt hij steeds.
Maar ik denk dan weer: beter een verwende enkel dan een ge-
  kneusde enkel. Ja toch?
   Wat wel een beetje errug vervelend was, was dat ik weer
vier ons was gegroeid. Bijna terug bij af dus. Ik had al
een poos niet op de weegschaal gestaan, omdat ik het
eigenlijk al wel gedacht had. Het is zó moeilijk om
weerstand te bieden aan al die lekkere dingen die de
meiden in de pauze kopen. Soms doe ik niet mee, maar

💜 133

meestal koop ik dan ook iets. Wel iets kleins, maar toch.

Ik vind dan dat ik wel wat lekkers verdien, want het blijft bikkelen op school. Ik heb echt zoveel toetsen gehad, niet normaal. Gelukkig zijn de cijfers weer ingeleverd en over een paar weken krijgen we ons rapport. Ik denk dat ik overal een voldoende voor heb, behalve voor science, daarvoor sta ik een vijf. Dat is zo moeilijk. Naar aanleiding van dit rapport wordt er een advies uitgebracht. Zoals het er nu uitziet, wordt het een tee-elletje, denk ik. Hoop ik.

In elk geval, de eerste helft van mijn wedstrijd verliep super! Echt, ik had op de balk geen wiebels, zelfs niet bij mijn dubbele pirouette. Zó gaaf! Ook mijn vloeroefening turnde ik strak. Dubbele schroef achterover, schroef gestrekt voorover en arabier tempo salto, ze lukten allemaal perfect. Helaas, helaas, helaas, ging het bij de brug niet helemaal goed. In plaats van dubbele salto af, ging ik er met een enkele salto af en ik verstapte me ook nog. Zó suf! En bij sprong zwikte ik een heel klein beetje door mijn enkel waardoor ook ik een keer moest verstappen. Echt balen. Ik eindigde als vijfde, Britt als vierde en Sying als eerste.

Ze was super- en superblij, maar later in de kleedkamer zag ik hoe ze met een van pijn vertrokken gezicht haar schoenen vastmaakte.

 @fleurturnt
Goede wedstrijd geturnd, maar niet goed genoeg. Baluhhh.

Maandag 28 maart

Vandaag zijn we ons helemaal de pleuris geschrokken bij turnen. We waren allemaal druk bezig met de training, toen Sying opeens in tranen uitbarstte en met lange uithalen begon te huilen. We stonden helemaal verstijfd van schrik. Gelukkig was Alma er, ja die is gewoon veel handiger met dit soort dingen. Ze sloeg haar arm om Sying heen. 'Wat is er, meis?' Sying deed een wanhopige poging om te stoppen met huilen. 'Niks.' 'Kom, we gaan even in de kleedkamer zitten.' Alma nam Sying mee de turnzaal uit. 'Jullie kunnen gewoon doorgaan,' zei ze met een blik achterom naar ons.

We gingen weliswaar door met onze oefening, maar ondertussen kletsten we natuurlijk over wat er met Sying aan de hand kon zijn.

'Ziek?' opperde Juno.

'Waarom is ze dan niet thuis?' vroeg Evi.

'Ja duh, je weet toch wel hoe streng haar moeder is!' zei ik. 'Die stuurt haar nog naar training met veertig graden koorts.'

'Zielig,' meende Britt, maar ze zei het op zo'n manier dat ik haar niet zo geloofde.

'Ze heeft heel veel last van haar rug, hoor,' zei ik, 'ze neemt bijna elke dag pijnstillers.'

'Nou, da's dan goed stom.' Britt trok haar wenkbrauwen even op. 'Maar voor ons gunstig natuurlijk.'

'Jee, Britt, zoiets zeg je toch niet,' zei ik verontwaardigd.

'Zeg nou niet dat jij dat niet óók denkt,' zei Britt even verontwaardigd. 'Lekker schijnheilig!'

Ik zweeg. Britt had gelijk, althans wel een beetje, maar wat was dat ongelooflijk lullig.

'Meiden, aan het werk!' Dat was Hans.

Ik draaide me om en ging verder met mijn vloeroefening.

Het duurde heel lang voor Alma weer uit de kleedkamer kwam. Haar gezicht stond zorgelijk en ze begon te fluisteren met Hans. Daarna riep ze ons bij elkaar. 'Meiden, Sying is net opgehaald door haar moeder. Ze had zoveel last van haar rug dat ik het niet verantwoord vond om haar nog te laten trainen.'

'Hoezo nu opeens?' flapte ik eruit.

'Hoezo nu opeens? Wat bedoel je daarmee?'

'Ehm, nou, Sying heeft al veel langer heel erg last van haar rug.'

'Waarom weet ik dat niet? Wist jij dat?' Alma keek vragend naar Hans.

'Nee, niet dat het zo erg was,' zei hij. 'Wel dat ze af en toe wat last had. Dat had haar moeder mij verteld.'

'Het was wél erg, want ze slikte steeds paracetamol,' zei ik.

Alma en Hans keken elkaar zwijgend aan. 'Ik bel vanavond haar ouders,' zei Hans ten slotte, 'ze moeten echt met haar naar een arts.'

'Had je dat niet tegen ons kunnen zeggen?' vroeg Alma een beetje verwijtend. 'Als je lijf pijn aangeeft, dan is dat een signaal dat je rustiger aan moet doen. Dat moet je serieus nemen en niet wegpoetsen met pijnstillers. Wie weet wat er nu beschadigd is.'

Ik dacht aan de paracetamol die ik op aanraden van Sying had geslikt voor mijn enkel. Ik had er geen moment aan gedacht dat dat heel schadelijk zou zijn of zo. Ik had er alleen maar aan gedacht dat ik zonder pijn beter kon turnen. Niet dat door turnen mijn enkel misschien kapot zou maken.

Stom, stom, stom.

Gelukkig had het bij mij goed uitgepakt, want de pijn in mijn enkel was nu echt helemaal over. Ik hoopte maar dat Sying net zoveel geluk zou hebben als ik. Ja dat hoopte ik echt, ook als dat zou betekenen dat Sying boven mij zou eindigen.

@fleurturnt
Drama bij training. Sying moest stoppen vanwege haar rug. Echt zielig.

Zondag 10 april

Vandaag heb ik mijn tweede plaatsingswedstrijd ge-turnd en ik eindigde als... eerste! Eerste, eerste, echt als eerste! Hoe ontzettend cool is dat, hoe ontzettend gaaf, hoe superdesuper?! Volgens mij komt het ook omdat het me gelukt was om een kilo af te vallen. Ik ben ge-woon heel streng voor mezelf geweest. Ik had bedacht dat als ik een kilo afgevallen zou zijn, dat ik dan een goede wedstrijd zou turnen en als die kilo niet lukte, dat het dan waardeloos zou gaan. En het klopte dus. Voor de volgende wedstrijd ga ik weer een kilo afvallen, zeker weten. Zo moet ik dat dus doen. Britt eindigde als vierde dit keer. Ze was snipverkouden en voelde zich niet helemaal fit.

Natuurlijk was ik blij met m'n gouden medaille, maar mijn geluk werd toch een beetje overschaduwd door het nieuws van Sying: zij mag in elk geval tot de zomer niet turnen. Ze heeft haar rug heel erg overbelast, zo erg dat ze een beschadiging heeft aan haar wervelkolom. Misschien komt dat weer goed met veel rust, maar misschien ook niet en dat zou dan het einde van haar turncarrière betekenen.

Sying kwam het afgelopen week zelf vertellen. Iedereen was natuurlijk heel erg geschokt. Ook Britt. Sying zelf was er nogal nuchter onder. 'Ik doe volgend jaar mee aan het NK, zeker weten,' zei ze. 'Ik laat me er echt niet onder krijgen! Ik heb fysio om mijn buikspieren en rompspieren sterker te maken, zodat mijn rug minder belast wordt. Ik ga het redden. Ja, ik ga het redden!'

137

's Avonds zat ik te zwoegen op een toets Duits. Zelfs onze lieve Woppie doet mee aan de toetsterreur die op onze school heerst. Echt wel balen. Volgende week heb ik vier toetsen. Vier! En dat terwijl we nog maar net ons paasrapport gehad hebben. Ik had inderdaad een vijf voor science en voor de rest zesjes en een zeven voor Nederlands. Pascal zei dat de leraren dachten dat ik TL zou moeten kunnen halen, ook als ik op dit niveau bleef turnen, maar dat ik dan echt heel hard zou moeten werken. Anne Lynn, Myrthe en Tirza gaan ook allemaal TL doen, dus dat wordt volgend jaar supergezellig natuurlijk.

Voor papa en mama wel een beetje jammer natuurlijk, maar ik wil echt blijven turnen. Ik kan altijd over twee jaar nog naar de havo gaan, misschien. Turnen is echt het allerbelangrijkste voor mij, het aller-allerbelangrijkste. Gelukkig snappen papa en mama dat wel.

Ik kon me slecht concentreren op mijn Duits, want ik zat eigenlijk nog steeds te stuiteren. De eerste prijs! Het was toch wel weer een poos geleden dat ik bij een wedstrijd als eerste geëindigd was. Toen papa en mama me aan het begin van de avond weer naar oma brachten, praatte ik zoveel dat mama er helemaal tureluurs van werd: over turnen natuurlijk, over Sying en Britt, maar ook over het verhuizen en het kind dat dan bij ons komt wonen…

Ze weten nog steeds helemaal niks. Zó saai! Ons huis staat te koop. Het moet eerst verkocht worden, voordat we een nieuw huis gaan kopen. De cursus die papa en mama moeten doen om een ama (klinkt wel een beetje raar zo, maar ja) te mogen opvangen is best pittig. Alle problemen waar je misschien mee te maken kunt krijgen, worden besproken.

Ik vind dat zó gek. Je merkt het toch vanzelf als er een probleem komt? Wat heb je er nu aan om te weten dat je te maken kunt krijgen heel erg agressief gedrag of juist heel aangepast gedrag. Dat laatste lijkt mij wel makkelijk trouwens, maar volgens papa en mama is dat dan weer zorgelijk. Terwijl ze juist wel weer graag willen dat ik me aangepast gedraag! Pfff, ouders… Soms snap ik er de ballen van. In elk geval, mij lijkt het wel heel gezellig, een kind erbij in huis. Dat brengt tenminste wat leven in de brouwerij, want soms is het toch ook wel saai om enig kind te zijn. Ik hoop op een kleintje, volgens mij heb je dan ook de minste kans op problemen. Maar volgens papa en mama is dat ook weer niet zo.

Om half tien was ik klaar en ik ging naar de kamer.

'Omi, overhoor je me?'

Oma zat samen met Hugo te lezen en legde meteen haar boek weg.

Gelukkig kende ik het redelijk en om tien uur lag ik in mijn bedje.

@fleurturnt
Eindelijk goud!

Vrijdag 29 april

Vandaag was het de laatste dag voor de meivakantie en iedereen was ongedurig. Zoals eigenlijk altijd op de laatste dag voor een vakantie. De leraren hadden de grootste moeite om ons een beetje rustig te houden.

Bovendien was iedereen vol van het nieuws over de zogenaamde bangalijsten. Bangalijst. Ik had er nog nooit van gehoord en een heleboel andere meiden uit de klas ook niet. Nou ja, er gingen wel eens lijstjes rond van leukste meiden, lekkerste meiden en ook stomste meiden. Op de basisschool was dat al zo en hier op school stonden met zwarte stift op de binnenkant van de wc-deuren namen geschreven van meiden die het voor een peuk zouden doen. Maar die meiden kende ik verder niet. Die zaten hier misschien al niet eens meer op school. Een lijst van de grootste slettebakken van de school of van de hele stad was er volgens mij niet, daar was in elk geval niets over getwitterd. In de pauze zat iedereen druk te whatsappen en op twitter te zoeken naar meer informatie. Het was zo onrustig in de kantine, dat de conciërge een paar extra leraren oppiepte om te komen surveilleren.

Na de eerste pauze barstte de bom. We hadden les van Pascal en stonden voor het lokaal te wachten, toen Pepijn ineens (nou ja, voor ons was het ineens) Quina aanvloog. Die klapte tegen de grond. Pepijn begon erop los te beuken terwijl een paar jongens hem aanmoedigden. Echt zo belachelijk. Gelukkig schoot Sem Quina te hulp en Anne Lynn deed hetzelfde. Dat was best bijzonder want Anne Lynn haat Quina zo'n beetje. Met z'n tweeën konden ze Pepijn niet in bedwang houden, dus schoten Tirza, Myrthe en ik ook te hulp. Het viel nog niet mee om Pepijn tegen te houden. Gelukkig duurde het maar even of Pascal was er ook en samen met een andere leraar nam hij Pepijn van ons over. Die schreeuwde dat hij Quina zou doodmaken. Dat klonk echt heel heftig en iedereen werd er stil van, behalve een paar domme gastjes uit onze klas die begonnen te grinniken en Pepijn hun hulp aanboden.
Quina zag spierwit. Ondanks dat ik haar niet zo mocht, had ik wel medelijden met haar.
'Jullie gaan het lokaal in en rustig zitten. Ik breng Pepijn naar de conrector.'
Ook Pepijn zag heel wit.
Wij gingen gedwee het lokaal binnen, maar natuurlijk hadden we het over de vechtpartij.

'Waarom deed Pepijn dat?' wilde Sem weten.

Quina haalde haar schouders op. 'Gewoon, omdat het een geflipte sukkel is misschien?'

Het duurde niet lang of Pascal kwam weer binnen. Hij ging op de voorste tafel zitten. Het werd meteen heel stil en iedereen keek hem afwachtend aan.

Pascal schraapte zijn keel. 'Pepijn zegt dat Quina van plan was een lijst te maken van...'

'Ja hoor, nou is het zeker mijn schuld!' Quina's stem klonk schril. 'Die halve gare sukkel wilde juist een slettenlijst maken en ik zou bovenaan komen te staan omdat ik zó makkelijk te pakken zou zijn. Alsof die loser daar ook maar iets van af zou weten!'

'Wow!' zei Tirza. 'Dat meen je niet?'

'Dus wel! En toen zei ik, dat als ie me dat zou flikken dat ik dan ook een lijst zou rondsturen, bijvoorbeeld van jongens met een kleine jeweetwel, en dat hij daar dan bovenaan zou komen te staan. Nou, en toen flipte hij zo dat hij me aanviel.'

Quina's vriendinnen zaten heftig te knikken. 'Ja,' zei Mauve, 'Pepijn begon.'

Anne Lynn grijnsde. 'Je hebt wel een lekkere wraak bedacht zeg.'

'Dat dacht ik,' zei Quina tevreden.

'Fraai is dat,' zei Pascal.

'Ik laat me niet als slet neerzetten!'

'Nee, dat is duidelijk, maar misschien hadden we het op een andere manier op kunnen lossen?'

'Hoe dan?' wilde Quina weten.

'Ehm, nou, door erover te praten misschien?'

'Soms helpt praten niet,' meende Tirza. 'Ik vind dit eigenlijk wel heel stoer! Degene die jou in de zeik zet even goed terugpakken.'

'Ja, je moet van je afbijten,' vond Anne Lynn ook, 'anders denken ze dat ze alles maar kunnen doen.'

'Girlpower!' zuchtte Pascal. 'Ik zal kijken of Pepijn inmiddels een beetje gekalmeerd is. Gaan jullie maar even iets voor jezelf doen.'

Zodra Pascal zijn hielen gelicht had, dromden we in groepjes samen.

'Die loser heeft me met de dood bedreigd,' begon Quina. 'Dat pik ik dus echt niet.'

'Nee, en ik denk dat de school dat ook niet pikt,' zei ik.

Het duurde niet lang of Pascal kwam terug, met... Pepijn. Die zag er nog steeds bleek en ook timide uit. Zijn ogen waren een beetje rood, dus hij had vast gehuild. 'Dat wat ik zei, meende ik niet,' stotterde hij.

'O?' Quina keek ongelooflijk arrogant. 'Dus je gaat me niet boven aan een bangalijst zetten?'

'Nee, dat ook niet en ik had niet mogen zeggen dat ik je ging doodmaken. Dat sloeg nergens op.'

'Heb je dat zelf bedacht of heeft Pascal je dat ingefluisterd?'

'Quina,' zei Pascal, 'kun je even dimmen? Pepijn heeft er echt spijt van. Jij zit hem ook regelmatig dwars. Ik praat niet goed wat Pepijn gezegd en gedaan heeft, en daar krijgt hij ook heus straf voor.'

'Shit man, ja. Vanmiddag tot zes uur de conciërge helpen,' mokte Pepijn.

'En dan kom je er genadig vanaf, vriend,' zei Pascal.

'Nou oké dan, van mij was het ook flauw om jou te pesten met je naam,' kwam Quina, 'en dat slaat ook nergens op.'

'Top!' zei Pascal. 'Quina, fantastisch dat je dat zegt. Goed dat jullie allebei sorry hebben ge-zegd.'

En toen praatten we de rest van het lesuur over bangalijsten en dat soort dingen. Pascal zei dat er, toen hij op school zat, ook wel van die lijsten waren, maar dat het nu allemaal toch net een beetje erger was omdat die lijsten op internet kwamen te staan.

'Ach,' zei Anne Lynn stoer, 'wat maakt dat uit? Er klopt toch geen zak van! Je denkt toch niet echt dat alle meiden die daarop staan echt van die slettebakken zijn? Die lijsten worden gewoon gemaakt om te pesten.'

'Nou,' zei Pascal, 'gewoon?'

'Ja, dat denk ik ook,' zei Tirza. 'Ik las dat er ook meiden op staan die al jaren vaste verkering hebben bijvoorbeeld.'

'Ja, of een jongen die gedumpt is door een bepaald meisje en haar naam uit wraak op zo'n slettenlijst zet,' kwam Cato.

'Nou,' zei Rodney, 'ik heb een vriend en die is al zeventien en hij heeft samen met een paar jongens zo'n slettenlijst gemaakt, gewoon voor de leuk.'

'In elk geval, gewoon is het niet,' zei Pascal. 'En leuk al hele-maal niet. En of het nu waar is of niet, stel dat je over een jaar of tien solliciteert en je toekomstige werkgever gaat googelen om wat meer informatie over je te krijgen en hij komt je dan op zo'n lijst tegen. Niet echt een goede pr, denk ik.'

'Of juist wel,' grapte Rodney. 'Het is maar wat zo'n werkgever wil.'

We moesten lachen.

'Dat is er dan toch al lang weer af?' vroeg ik, toen het weer rus-tig was. 'Tien jaar is gewoon hartstikke lang!'

'Dat is nu juist het probleem,' legde Pascal uit. 'Alles wat op internet komt, blijft daar in principe gewoon op staan, behalve als de politie ingrijpt, zoals ze dat in Groningen hebben gedaan. Daar heeft de politie ervoor gezorgd dat zo'n lijst van internet is verwijderd.'

Toen de bel ging, waren we eigenlijk nog lang niet uitgepraat.

 @fleurturnt
Rel in de klas over bangalijst.

Maandag 16 mei

Gisteren werd ik tweede op de derde plaatsingswedstrijd voor het NK en Britt werd vierde. Ik was weer een kilo afgevallen! Vandaar die tweede plaats. Nee echt, zo werkt dat dus! Daar ben ik inmiddels achter. Kilo afgevallen betekent goede wedstrijd turnen. Dat is de beloning. Ik ben nu al twee kilo kwijt en volgens mij merk ik dat ook echt bij het turnen. Ik doe niet onverstandig hoor, met eten. Ik drink heel veel water en ik poets extra vaak mijn tanden (met dank aan Sying) en ik eet veel groente en fruit, ik eet brood met mager beleg (geen kaas dus) en ik drink een halve liter magere melkproducten per dag. Maar ik laat alle vette happen staan en dat scheelt. Als ik tussen de middag met de meiden in de supermarkt ben, koop ik niks. En als zij in een saucijzenbroodje of kaasbroodje happen, dan hap ik in een appel. Het is gewoon een kwestie van de knop omzetten.

Ik ontbijt normaal, omdat oma altijd met argusogen kijkt wat ik eet, maar vooral omdat het de belangrijkste maaltijd van de dag is. Dat zeggen mama en oma, maar ik lees het ook op allerlei dieetsites die ik heb geraadpleegd. Het ontbijt brengt 's ochtends de verbranding op gang. Dus eet ik braaf twee bruine boterhammen, een met appelstroop en de andere met magere smeerkaas. En ik drink een glas optimel (in de badkamer heb ik dan al een glas water gedronken). Mijn buikje is nu bijna helemaal verdwenen. Nog twee kilo afvallen en dan ben ik tevreden. Over drie weken heb ik de halve finale, dan moet ik weer een kilo kwijt zijn en dan nog weer twee weken tot de finale, dan moet ik nog een kilo' kwijt zijn. Ik doe mijn best.

Verder heb ik het uitgemaakt met Jens. Al die leuke tweets, whatapps en krabbels, daar word je op een gegeven moment toch wel een beetje zat van. Bovendien wilde hij steeds met me afspreken, maar ik heb er gewoon geen meer zin in. Ik snap het zelf ook niet goed. In Turkije vond ik hem echt hartstikke leuk, maar nu... Ja wel aardig of zo, maar that's it. En ik weet zeker dat hij bij een nieuwe afspraak echt wil zoenen en dat wil ik niet.

Ik ben gewoon niet geschikt voor de liefde, denk ik. Vorig jaar met Nigel ook. Eerst was het super allemaal, maar toen kreeg ik er toch genoeg van. Nou, dat is met Jens ook. Ik had hem het slechte bericht gewhatsappt. Want we wonen een beetje te ver uit elkaar om even langs te gaan.

Ik had gezegd dat ik hem aardig vond en zo, maar dat ik niet meer verliefd was en dat ik ook geen tijd had voor verkering. Dat ik het gewoon veel te druk met turnen heb. Papa en mama zijn blij, die vonden het toch al niks, een jongen die twee jaar ouder is dan ik.

Jens baalde als een stekker. Hij stuurde mij een behoorlijk pissig berichtje terug. Zo van 'had je dat niet meteen in de krokusvakantie toen ik er was, kunnen zeggen?' en 'Doe je dat altijd, jongens aan het lijntje houden?' Ja, wel een beetje lullig natuurlijk, maar volgens mij heeft hij niet te klagen over gebrek aan belangstelling van meisjes. Dus...

 **@fleurturnt**
Het is echt waar: thin is going to win. Dit keer zilver!

Zaterdag 28 mei

Ik was net thuis van turnen en ik zat op mijn kamer te leren (ja, ja, voor de laatste toetsen van dit jaar, zucht) toen de bel ging. Even later hoorde ik aan het voetengeroffel op de trap dat het Mirte was. Zoals altijd gaf ze een korte bonk op mijn deur en duwde die zonder op antwoord te wachten open.

Mirte plofte op mijn bed neer nadat ze me een snelle knuffel had gegeven. 'Leuke week gehad?'

Ik knikte. 'Jij?'

'Saai.' Mirte stak haar tong uit. 'Heb me doodverveeld.'

'O,' zei ik. Verveling is iets waar ik nooit last van heb. Nee, hoe kun je je vervelen als je haast geen tijd voor jezelf hebt?

'Hoezo,' vroeg ik. 'Anders verveel je je toch ook nooit?'

'Nu wel. Zullen we nog ff shoppen?'

'Joh, ik ben aan het leren.'

'Je wordt toch geen nerd, mag ik hopen? Toe, ga nou gewoon mee.' Mirte keek me smekend aan.

'Goed dan,' zei ik met een blik op mijn Duits en ik stond op. Ik kon vanavond ook nog wel een uurtje leren.

In de stad kocht Mirte een paar korte knalroze laarsjes met een hakje. 'Zullen we bij de mac gaan eten?' vroeg ze.

'Ik ben op dieet,' antwoordde ik.

'Hoezo?' vroeg Mirte met opgetrokken wenkbrauwen. 'Je bent toch niet te dik?'

'Hoe minder gewicht hoe beter mijn oefeningen gaan, snap je?'

'Straks krijg je nog anorexia!'

'Tuurlijk niet, ik pas heus wel op.'

'Ja dat zeggen ze dus allemaal.'

'Kom je bij ons eten?' stelde ik voor. 'Ik zie mijn ouders toch al niet zoveel.'

'Wees blij! Dat gezeur altijd.'

'Heb je weer ruzie?'

'Ik mag gewoon niks. Ik wilde gisteravond met Tomas op stap. Maar nee hoor. Jij had dat toen toch ook, met Jens?'

Voor ik kon zeggen dat ik het uit had gemaakt, zei ze opgetogen: 'Ik heb een onwijs goed idee. Ik zeg tegen mijn ouders dat ik bij jou ga slapen en jij zegt dat je bij mij gaat slapen. En dan knijpen we er samen tussenuit. Ik vraag Tomas en jij vraagt Jens en dan...'

'En waar slapen we dan?'

'Niet,' zei Mirte. 'We zakken lekker de hele nacht door.'

'Dat kan ik toch niet,' zei ik. 'Ik moet morgenochtend om negen uur trainen en ik pleur van de balk als ik niet geslapen heb. En trouwens, het is uit met Jens.'

'Huh, uit? Waarom dat dan?'

'Omdat ik toch niet verliefd was, daarom.'

'O,' zei Mirte teleurgesteld. 'O, nou, dan gaan we niet uit. Dan ga ik maar weer naar huis.'

'Waarom kom je niet bij me eten?' drong ik aan. 'Gaan we daarna dvd'tje kijken. Of nog beter, blijf gezellig slapen.'

'Mmmmm.'

'Pfff, wat heb jij?'

'Ik wil gewoon een keer uit met Tomas. Maar, wacht! Ik krijg ineens nóg een idee. Een superidee!'

'Wat?' vroeg ik een beetje nieuwsgierig.

'Nouhou, ik ga gewoon bij jou eten en we kijken samen een dvd'tje en daarna...'

'Dat was mijn idee, hoor!'

'Jahaa, luister nou, daarna ga jij dus gewoon naar bed en ik verdwijn.' Mirte keek me een beetje triomfantelijk aan.

'Verdwijn?'

'Uit. Ik ga uit,' verduidelijkte Mirte.

'Maar dat mag je toch niet?'

'Nee, duh, doe nou niet zo onnozel!' Mirtes stem klonk een beetje kattig.

'Dan ga ik dus uit, maar ik zeg tegen mijn ouders dat ik bij jou logeer. Is dat een goed idee of niet?'

Ik zweeg. 'Maar dat is liegen,' zei ik na een poosje.

'Doe toch niet altijd zo braaf.' Mirte gaf me een duwtje tegen mijn arm. 'Kom op nou, dan moeten mijn ouders maar niet zulke belachelijke ideeën hebben.'

Ik dacht na. Was ik echt zo braaf? Waren de ideeën van Mirtes ouders echt zo belachelijk? Papa en mama dachten er precies hetzelfde over.

'Oké, ik zie het al, dan niet!' Mirte draaide zich om en ging er vandoor.

'Hé, stop nou!' schreeuwde ik haar na. 'Ik vind het wel goed.'

Mirte stopte abrupt. 'Echt?'

Ik knikte. 'We zijn toch vriendinnen?'

Mirte holde naar me toe en sloeg haar armen om me heen. 'Love you so much!' jubelde ze.

's Avonds bij het eten was het gezellig. Papa en mama vonden het leuk dat Mirte weer een keertje kwam eten en ze waren zó lief en belangstellend, dat ik me plaatsvervangend begon te schamen. Ik bedoel, ik zou dat toch wel heel lullig vinden, de ouders van mijn beste vriendin zó te bedriegen.

Vanmiddag, toen we Mirtes spullen haalden, waren haar ouders ook al zo blij geweest dat wij weer een keertje ouderwets gezellig bij elkaar gingen logeren.

'Best friends forever,' had haar moeder geglimlacht. 'Fijn dat

jullie elkaar weer gevonden hebben.'
Toen had ik me ook al bezwaard gevoeld. Het maakte dat ik toch niet echt kon genieten van het samen dvd'tje kijken, ook al omdat ik geen hap van de zak chips kon eten die mama royaal aan ons gegeven had. Ik wist dat ik, zodra ik een klein handje nam, verloren zou zijn. Als je eenmaal begint te snoepen, kun je niet meer stoppen. Ik stond op om mijn tanden te poetsen, maar ik bleef ongelooflijke trek in chips houden. Gelukkig at Mirte voor twee zodat de zak redelijk snel leeg was.

Toen de film tegen tienen was afgelopen, tutte Mirte zich nog een beetje op, terwijl ik toekeek. Daarna omhelsde ze me. 'Je bent mijn allerliefste vriendin!'

Om elf uur, ik was net in slaap, werd ik wakker van een hand die me zachtjes heen en weer schudde.
'Fleur, word eens wakker.' Het was mama.
'Weet jij waar Mirte is?' Ik schrok me te pletter. 'Hoezo, nee, ja, eh ik bedoel...'
'Haar moeder belde een half uurtje geleden om te zeggen, dat ze morgenochtend op tijd naar de oma van Mirte gaan en dat ze om uiterlijk negen uur thuis moet zijn. Of ik dat nog even tegen Mirte wilde zeggen.'
Ik voelde me helemaal misselijk worden van ellende.
'Ik zei dat Mirte even na tienen naar huis is gegaan. Dat dacht ik tenminste. En toen zei Mirtes moeder dat Mirte hier zou logeren, waarop ik zei dat ik daar niets van wist. Tien minuten geleden belde Mirtes moeder nog een keer dat Mirte nog steeds niet thuis was. Weet jij daar iets van?'
Ik dacht razendsnel na. Wat moest ik zeggen?
'Ik weet het niet,' piepte ik een beetje wanhopig.

'Wat is dat nou voor onzin?' vroeg mama. 'Je weet niet of je daar iets van weet? Hoezo niet?'

'Ik kan niets zeggen.' Mijn stem klonk zo zacht dat het nauwelijks verstaanbaar was.

'Fleur!' Mama's stem klonk nu streng. 'Dat is echt flauwekul. Je moet zeggen wat je weet.'

'Dan verraad ik Mirte.'

'Haar ouders zijn gek van ongerustheid, Fleur. Dat kun je niet maken!'

De deurbel ging en ik hoorde hoe papa de deur opendeed. Ik luisterde met gespitste oren en mama ook.

'Weet Fleur iets?' Het was de stem van Mirtes moeder.

Wat papa zei kon ik niet verstaan.

'Kom mee naar beneden.' Mama pakte mijn ochtendjas.

'Moet dat?'

Mama antwoordde niet eens en diep ellendig kroop ik uit mijn bed.

Mirtes moeder ging meteen staan, toen ik binnenkwam en liep op mij af. Ze legde haar handen op mijn schouders. 'Fleur, jij weet vast waar Mirte is. Wil je het me alsjeblieft zeggen?'

'Mirte,' begon ik, mijn stem klonk raar schor, 'Mirte is uit.'

'Waar? Met wie?'

'Met Tomas, maar ik weet niet waarheen.'

'Dank je wel,' zei Mirtes moeder. 'Dat je het gezegd hebt. Ik was zó ongerust! En nóg trouwens,' voegde ze eraan toe.

Toen ze weg was, zat ik stilletjes op de bank.

'Fraai is dat,' zei papa. 'De boel hier een beetje beliegen en bedriegen.'

'Ik, ik vond het ook rot, maar ik wilde Mirte helpen. Ze is mijn vriendin.'

'Mooie vriendin. Ik vind het echt heel erg dat Mirte haar ouders zo misleidt en dat jij daaraan meewerkt. Dat valt me echt

ontzettend van je tegen,' zei mama. 'Ik dacht dat ik je kon vertrouwen.'
'Dat kun je ook,' zei ik. 'Ik zou nooit zo tegen jullie liegen. Echt niet. Maar Mirte… Ik was zo blij dat het weer goed tussen ons was en daarom…'
Mama zuchtte. 'Als je zulke dingen maar nooit meer doet!'
'Nee, echt niet.' Ik trok mijn ochtendjas nog wat vaster om mij heen. 'Dat beloof ik.'

@fleurturnt
Ouders boos. Honderdduizendmiljoen keer sorry lieve Mirt.

Zondag 29 mei

Ik werd vanochtend al vroeg wakker. Ik had gisteravond natuurlijk eerst helemaal niet kunnen slapen en ik was vannacht voor mijn gevoel elke vijf minuten zo'n beetje wakker geweest. Zo ontzettend stom, dit. Had ik toch niks moeten zeggen? Hoe zou het nu afgelopen zijn?
Ik stond lamlendig op, ontbeet lamlendig en turnde lamlendig.
'Wat héb je?' vroeg Alma.
Ik haalde mijn schouders op.
'Ongesteld denk ik,' zei Britt.
Ik zei niks.
Om een uur, toen ik me net had aangekleed, was er een whatsapp van Mirte.
Ik durfde het bijna niet te openen.
'Een gedoe vannacht, echt niet normaal. Heb nu een maand huisarrest. Kom je gauw langs?'
Ik whatsappte terug dat ik volgend weekend zou langskomen omdat papa me zo meteen al wegbracht, maar dat ik vanavond

om acht uur tijd had om uitgebreid te whatsappen zodat ze me alles kon vertellen.

@fleurturnt
Training ging helemaal flut!

Zaterdag 4 juni

Vandaag ben ik na training bij Mirte langs geweest. Haar moeder deed open en ik voelde me nogal opgelaten. Ze keek me een beetje afwachtend aan. 'Sorry,' mompelde ik.
Mama had gezegd dat ik Mirtes ouders mijn excuses aan moest bieden.
Mirtes moeder gaf me een knikje. 'Mirte is boven.'
Op de trap voelde ik de ogen van Mirtes moeder in mijn rug. Het was wel heel duidelijk dat ze niet erg blij met me was, maar ik had alleen maar aan Mirte gedacht en aan onze vriendschap.
Mirte lag op haar bed huiswerk te maken, maar ze sprong meteen op en gaf me een knuffel.
Met whatsapp hadden we het eigenlijk al wel zo'n beetje uitgepraat en ze was gelukkig helemaal niet boos. Daarover was ik wel heel erg opgelucht, want het had me behoorlijk dwars gezeten dat ik haar verraden had. Nou ja, ik kon niet anders, vond ik en dat vond Mirte gelukkig ook. Ze was helemaal verbijsterd geweest toen Frank om half twee opeens was opgedoken en tegen haar had gezegd dat ze mee naar huis moest. Direct nadat Mirtes moeder had gehoord dat Mirte met Tomas op stap was, had ze Frank, die zelf op het punt stond om met zijn vrienden te gaan stappen, erop uit gestuurd om zijn zusje te zoeken. Dat had nog best een poosje geduurd. Niet omdat Frank niet wist waar ze zou uithangen, maar omdat hij het wel

een beetje zielig vond om zijn zusje meteen in de kladden te grijpen.

'Zijn je ouders nog erg boos?' vroeg ik.

'Och ja, maar dat gaat vanzelf weer over,' zei Mirte luchtig.

'Boeie.'

Ik bedacht dat ik toch echt heel anders was dan Mirte. Ik ben wel eens boos op mijn ouders, dat wel, maar mijn ouders zijn eigenlijk niet zo vaak echt boos op mij en ik kan daar ook niet tegen. Dan denk ik eerst ook 'boeie', maar dan voel ik me heel snel daarna verdrietig en dan wil ik dat het weer goed is.

'Ik ben wel veertien, hoor! Zo langzamerhand wordt het tijd dat mijn ouders mij loslaten,' zei Mirte opstandig.

Ik knikte en ik dacht aan mijn ouders. Ik was dan nog wel geen veertien, maar ik wist zeker dat ik ook dan echt nog niet uit zou mogen. 'Ik mag dat ook niet,' zei ik.

'Ja, pfff, jouw ouders hebben het lekker makkelijk, want jij wilt niet eens omdat je turnt. Maar ze moeten niet denken dat ik wacht tot ik zestien ben.' Mirte keek boos.

'Mag je dan pas uit?' vroeg ik.

'Ja, m'n ouders zijn bang dat ik ga drinken en zo, maar dat ga ik echt niet doen.'

Ik dacht aan Turkije en blijkbaar raadde Mirte mijn gedachten. 'Dat in Turkije was echt stom,' zei ze. 'Maar nu ben ik ouder en pas ik echt wel op.'

'Dan zeg je dat toch gewoon. Je moet zeggen dat je begrijpt dat ze zich zorgen maken en zo, maar dat dat echt niet hoeft.'

'Ja,' zei Mirte peinzend. 'Misschien doe ik dat wel. Maar eh... dat huisarrest is echt zwaar waardeloos. Mens, ik verveel me helemaal te pletter. Nog drie weken. Echt balen.'

'Ja,' zei ik. 'Ja.'

'Kom je morgen weer?' vroeg ze toen ik na een poosje opstond om naar huis te gaan.

'Morgen moet ik turnen en mijn vader brengt me op tijd weer naar oma.'

'Jammer,' zei ze teleurgesteld. 'Echt jammer.'

'Dan vraag je toch een andere vriendin,' stelde ik voor.

'Ja, maar ik vind het altijd het gezelligst met jou.'

We sloegen onze armen om elkaar heen en gaven elkaar een knuffel.

Best friends forever!

 @fleurturnt
I love my tweetiemirt, my tweetiemirt loves me.

Zondag 19 juni

Vandaag was de finale van het NK en Britt is derde geworden. Een topprestatie, nietwaar? Echt wel! En ik? Hoeveelste ik ben geworden? Hahahahahhaha! Ik ben helemaal niks geworden. He-le-maal, he-le-maal, he-le-maal niks. Hoe dat nou kan? Dat kan omdat ik niet mee deed. Níet méédééd! Waaróm ik niet mee deed? O nou gewoon, mijn enkel.

Twee weken geleden ben ik bij de halve finale dus weer door mijn enkel gegaan. Zó achterlijk, zó stom, zó weet ik veel… En dat terwijl ik een onwijs goede wedstrijd turnde. Ik had er eerst niet zoveel vertrouwen in, want ik was in plaats van een kilo maar drie ons afgevallen. Maar tijdens de wedstrijd groeide mijn vertrouwen. Balk ging goed, vloer ging goed en brug ging goed. Kat in 't bakkie, dacht ik. Dat wordt minstens een derde plaats. Dat had ik dus never nooit moeten denken, want bij sprong ging het mis. Ernstig mis.

Ik kwam niet goed terecht, moest me een paar keer verstappen en gleed met mijn voet half van de mat. Krek, deed mijn enkel.

Of Krak. Krek of Krak. Wat maakt het uit? Het was een rotge-
luid, ik hoor het nog! Ik wist meteen dat het mis was. Dubbel
mis. Geen medaille en nog erger: geen finale voor mij dit jaar.
Mijn enkel was niet gebroken, maar net als de vorige keer was
mijn enkelband gescheurd. Zelfde band zelfde plaats. Scheur
in de buitenste band. Zwakke plek, zullen we maar zeggen.
'Nou, dat is het dan wel. Volgend jaar beter,' zei Hans vorige
week. Volgend jaar beter! Wat een ongelooflijk K-opmerking.
Wat is het toch een ongevoelige zak. Ik kon hem wel slaan.
Mijn leven is kapot. In ontelbare gruzelementen uit elkaar ge-
spat.

Zondag 3 juli

De vakantie is begonnen, ik ben over naar drie vmbo-tl (Anne
Lynn, Myrthe en Tirza ook) én ons huis is inmiddels verkocht.
Papa en mama hebben een bod gedaan op een keileuk nieuw
huis want ze willen nu ook zo snel mogelijk verhuizen. Ik vind
het vet en vet gaaf!
Absoluut niet gaaf is mijn enkel. Die is nog steeds erg pijnlijk.
Hij geneest veel trager dan de vorige keer. Ik maak me super-
veel zorgen want op deze manier kan ik straks na de zomer
ook nog niet trainen.
'Verhuizen jullie voor niks,' zei ik tegen mama.
'Tuurlijk ga je weer gewoon turnen,' sprak mama me moed in.
'Ik ken jou toch. Jij rust echt niet voordat je weer op het NK
schittert.'
'Schittert nog wel,' schamperde ik. 'Ik mag blij zijn als ik über-
haupt weer kan meedoen, hoor.'
Maar er is gelukkig wel weer een beetje hoop.
Hans heeft mijn ouders aangeraden om met mij naar een spe-
ciale orthopedische polikliniek te gaan. Hij kent een orthopeed

die heel goed is met enkels. Aanstaande woensdag gaan we er naartoe.

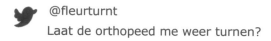

@fleurturnt
Laat de orthopeed me weer turnen?

Woensdag 6 juli

Ik ga geopereerd worden aan mijn enkel en waarschijnlijk gaat dat in de zomervakantie nog gebeuren, zodat ik na de zomer op school niks hoef te missen.

Papa en mama schrokken zich een hoedje. Die hadden verwacht dat het met speciale oefeningen wel weer goed zou komen. Dus niet. De orthopeed zei dat als ik niet geopereerd zou worden, die enkel altijd een zwakke plek zou blijven. Instabiel en daardoor kwetsbaar. Nou, daar heb ik dus helemaal geen zin in.

Papa en mama wilden het eerst nog weer een poos aanzien, maar dat was voor mij geen optie. Dit is nu al de zoveelste keer dat ik door mijn enkel ben gegaan en het duurt steeds langer voordat ie genezen is. De orthopeed zei ook dat het een illusie was om te denken dat ik niet weer een enkelblessure zou krijgen. Pas toen hij vertelde dat er echt heel goede resultaten werden bereikt met deze operatie, gingen papa en mama overstag. Ik hoop dat ik zo snel mogelijk geopereerd ga worden want na de operatie duurt het maar liefst drie maanden voordat ik hem weer optimaal kan belasten. Daar schrok ik wel van.

Toen we in de auto naar huis reden, praatten we natuurlijk uitgebreid over de de operatie. Ik wil het absoluut, maar ik vind het natuurlijk ook super- en superspannend.

Daarna ging ik whatsappen met Nigel. Toen mijn enkelband voor de tweede keer gescheurd was, kwam hij op bezoek. Ik was echt blij om hem weer te zien. Hij nam gelukkig geen zak snoep mee, maar een sleutelhanger met een gelukspoppetje eraan. 'Je had me beter een sleutelhanger met een pechvogel kunnen geven,' zei ik een beetje zuur.

'Ja, daar heb ik wel aan gedacht, maar ik vond dit toch leuker,' zei hij ernstig.

Het was supergezellig met hem en zijn kleine zusje is zó cute. Hij had een paar foto's van haar op zijn smartphone. Ze lijkt op haar grote broer, vind ik. Nigel is echt stapeldol op haar, dat hoorde ik wel toen hij over haar vertelde. Zo lief en zacht. Wat is hij toch een schatje!

Toen we bijna weer thuis waren, ging mama's telefoon. Iemand van pleegzorg vertelde dat er een noodgeval was. Het ging over een meisje van vier uit Afghanistan van wie de moeder zwaar depressief was en haar dochter ernstig verwaarloosde. De leiding van het asielzoekerscentrum waar ze verbleven had de kinderbescherming ingeschakeld. En nu was de vraag of ze een paar weken bij ons kon logeren, tot het met haar eigen moeder weer wat beter ging.

Mama zei dat ze er even over wilde nadenken.

Papa en mama waren er helemaal van in de war, omdat we nog niet verhuisd zijn en zo en omdat het twee maanden eerder komt dan we hadden verwacht. Maar ik was natuurlijk razend enthousiast. Een meisje van vier, dat is echt superschattig. Op vakantie gaan we dit jaar toch niet in verband met de verhuizing. Een paar weekjes logeren kan best. Ik heb genoeg tijd om spelletjes te doen en dat soort dingen.

'Laten we nou eerst maar wachten tot we verhuisd zijn,' zei papa. 'We weten ook niet hoe het allemaal met Fleur loopt.'

'Maar dat meisje heeft nú opvang nodig,' wierp mama tegen. 'Wij zijn al het vijfde gezin dat ze bellen. Iedereen is al op vakantie of gaat binnenkort en wij zijn gewoon thuis.'

'Nou gewoon,' wierp papa tegen, 'we hebben genoeg te doen.'

'Maar ik kan toch op haar passen? Please, laten we het nou doen! Please, please, please.'

'Ja, dat vind ik ook,' zei mama. 'We hebben de cursus afgerond, we hebben het onderzoek van de Raad van Kinderbescherming gehad en we hebben ons aangemeld, dus…'

'Maar we hebben ook gezegd dat we pas per 1 oktober beschikbaar zijn voor een plaatsing,' zei papa.

'Ja, dat is waar. Maar ze bellen ons echt niet voor niks. Er is gewoon niemand anders.'

'Nee, daar heb je gelijk in,' gaf papa zich opeens gewonnen. 'Nou, laten we het dan maar doen.'

Mama belde terug en ondertussen zat ik helemaal te stuiteren op de achterbank.

Het meisje komt morgenochtend en ze heet Saba.

Ik ben zó benieuwd, ik vind het zó spannend, ik kan het gewoon niet afwachten. Saba… een lief, klein meisje met zwarte haren en bruine ogen. Echt helemaal te gek!

🐦 @fleurturnt

Oma heeft gelijk: na regen komt zonneschijn. Enkel komt goed en morgen komt mijn soort van zusje. Kleutertje van vier. Zo ongelooflijk cute. Ik ben blij!

Cito-stress, turntoestellen en afscheidsfeest

Cito-stress

Toen ik wakker werd, wist ik meteen wat er vandaag ging gebeuren. De Cito-toets. In drie ochtenden moeten we tweehonderd vragen gaan maken. Tweehonderd! Ik kreeg acuut een eng gevoel in mijn buik.

Turntoestellen

Vanochtend deed ik de achterwaartse salto voor het eerst op de hoge balk zonder matten erop. Brrr. Alma stond er wel naast, maar toch. Het ging perfect eigenlijk. Ik kwam zonder wiebels terecht. Vet, vet, vet gaaf!

Afscheidsfeest

Even later slowden we samen met nog zes andere stelletjes. De andere kinderen durfden allemaal niet en stonden langs de kant te giechelen. Sharon, Thijs en Tess zaten in de jury en Nigel en ik wonnen de eerste prijs van de grote slowwedstrijd!

Fleur zit in groep 8 en houdt een dagboek bij, of beter gezegd een Belangrijke Dingen Boek. Daarin schrijft ze over wat ze meemaakt in het laatste jaar op de basisschool, zoals de Cito-toets, het naderende afscheid en haar turncarrière.

Brugpiepers, turntoppers en beugelbekkies

Brugpiepers

Op het schoolplein stonden mensen met een fototoestel. Ze vroegen of ik een brugklasser was en of ik mijn tas wilde laten wegen. Ze maakten namelijk een reportage: *Bruggers sjouwen zich een breuk.*

Turntoppers

Bij de avondtraining ging mijn balkoefening voor de eerste keer helemaal goed. Zelfs de afsprong was perfect! Hans, de trainer, had er niets op aan te merken en dat was vet bijzonder. Hij zei zelfs dat hij nu weer begreep waarom ik in de eredivisie terecht was gekomen. Ik was ontzettend blij.

Beugelbekkies

De orthodontist maakte foto's van mijn gebit, en ook gewone foto's van mijn gezicht. Nou ja, gewoon... Met behulp van een apparaat werd mijn mond zo breed mogelijk gemaakt. Zag er niet uit natuurlijk. Een vriendin vertelde pas een eng verhaal over een meisje dat bij het zoenen met haar beugel was blijven haken in de beugel van haar vriendje. Ieehhh!

Fleur zit in de brugklas en houdt een dagboek bij, waarin ze alles opschrijft wat ze meemaakt: het wennen op de middelbare school, de lol die ze heeft met haar vriendinnen, maar ook haar heimwee en de moeizame start van haar turncarrière.

Gonneke Huizing

Supercito, voetbalschoenen en sms-alarm

Supercito

Vandaag was de laatste dag van de Cito-toets. Ik vind het bijna jammer dat het voorbij is. Ja, toetsje maken, lekker snoepen in de klas en dubbel zo lang speelkwartier, helemaal goed.

Voetbalschoenen

Ik ga dit jaar voetballen in het D2 team van mijn club, maar ik wil het liefst in de D1 of nog beter: de jeugdselectie van de regionale profvoetbalclub en dan van daaruit naar Jong Oranje.

Sms-alarm

Vlak voor ik naar bed ging had ik weer een sms-je: 'Ik zie jou altijd. Je gedraagt je op het veld als een echte arro! Eens kijken of je met een gebroken poot nog zoveel praatjes hebt. Pas maar op!' Van: iemand die jou kent.

Nigel wil topvoetballer worden en heeft daar alles voor over. veel trainen natuurlijk, gezond eten, op tijd naar bed... zelfs verkering met Valerie, omdat haar vader het voor het zeggen heeft bij de regionale voetbalclub. In zijn logboek schrijft hij alles op over zijn pogingen om in de selectie te komen, maar ook over zijn laatste jaar op de basisschool, de Cito-toets, zijn vrienden en Fleur.

Brugklasproof, dropkicks en topvoetbal

Brugklasproof

Hoe zou het zijn op het PC Hooft-college? Ik was niet echt zenuwachtig ofzo. Maar gisteravond las ik op msn dat sommige kinderen buikpijn hadden voor de eerste schooldag.

Gonneke Huizing

Dropkicks

Mijn mannetje kwam aangestoven om mij de bal afhandig te maken. Ik deed alsof ik de bal ging trappen maar op het allerlaatste moment kapte ik de bal achter mijn standbeen langs en schoot raak. Gelukt!

Topvoetbal

Dit was het dus. Hét grote moment waarop ik al zolang hoopte. Ik zou misschien in een van de zes districtsteams van Nederland komen en nationaal kampioen worden. Hoe waanzinnig kicken was dat?

Nigel is helemaal brugklasproof, hij maakt zich er niet druk om. Hij is vooral bezig met zijn voetbalcarrière, die dit jaar super gaat. Maar of de sfeer binnen de club zo leuk is? Er is steeds gedoe met Diego, een arrogant voetballertje uit Argentinië. Thuis staat de boel ook flink op zijn kop. En wat is er aan de hand met Fleur, zijn vriendinnetje uit groep 8?

 Gonneke Huizing werd geboren op 11 april 1960. Ze heeft Nederlandsee taal- en letterkunde gestudeerd en werkte jarenlang in het onderwijs. Momenteel is ze naast jeugdboekenschrijfster ook freelance tekstschrijver. Ze is getrouwd en heeft twee dochters uit China. In 1994 begon ze met schrijven en in 1996 verscheen haar eerste boek, *Mes op de keel*, dat genomineerd werd voor de Jonge Jury Prijs. Haar eerste boek over Fleur verscheen in 2008. Andere boeken die ze geschreven heeft:

Verboden te zoenen

Babylove

4 Love

Vakantievriendinnen

Volg Fleur en Nigel op Hyves!

http://fleurvv26.hyves.nl

Omslagontwerp: Studio Jan de Boer
Illustraties binnenwerk: Saskia Halfmouw

© Gonneke Huizing, 2012

ISBN 9789025112080
NUR 283